Guía Visual
de **Windows 8**

Miguel Pardo Niebla

ANAYA
MULTIMEDIA

GUÍAS VISUALES

Todos los nombres propios de programas, sistemas operativos, equipos hardware, etc. que aparecen en este libro son marcas registradas de sus respectivas compañías u organizaciones.

© EDICIONES ANAYA MULTIMEDIA (GRUPO ANAYA, S.A.), 2013
Juan Ignacio Luca de Tena, 15. 28027 Madrid
Depósito legal: M. 30.308-2012
ISBN: 978-84-415-3256-4
Printed in Spain

4. Aplicaciones de Windows   68

Capítulo 1
Inicio

El aspecto de la pantalla Inicio

Mosaicos/Aplicaciones Windows   Otras aplicaciones

Usuario

Barra de desplazamiento   Fondo de la pantalla

Configuración del equipo/Apagar, reiniciar y suspender

Icono de Red   Fecha y hora   Barra lateral Charms

Iniciar Windows

1. En la pantalla de bloqueo haga clic con cualquiera de los botones del ratón sobre cualquier punto.

   Se abrirá la pantalla de inicio de sesión con el usuario por defecto. Si desea cambiar de usuario haga clic sobre el botón  para acceder a la pantalla de selección de usuarios. Elija el usuario que desee simplemente haciendo clic sobre su nombre.

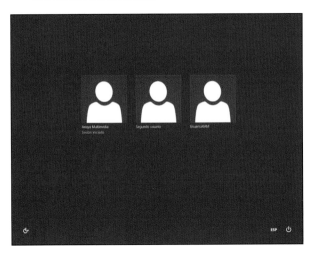

2. En el cuadro de texto escriba la contraseña de la cuenta de usuario que haya seleccionado. No olvide que la contraseña es sensible a mayúsculas y minúsculas. Windows le mostrará un aviso cuando la tecla de bloqueo de mayúsculas se encuentre activada.

3. Si desea ver el texto real de la contraseña en lugar de los caracteres de ocultación de contraseña, haga clic sobre el botón.

4. Haga clic sobre el botón o pulse la tecla **Intro**. Windows abrirá la pantalla **Inicio** correspondiente al usuario seleccionado.

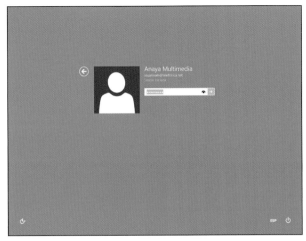

Apagar, reiniciar, suspender

1. Abra la barra lateral Charms situando el puntero del ratón sobre la esquina superior derecha de la pantalla Inicio.

2. Haga clic sobre el botón **Configuración**, representado mediante un símbolo en forma de rueda dentada.

3. Haga clic sobre el botón **Iniciar/Apagar** para mostrar su menú desplegable.

4. Luego, seleccione la acción deseada:

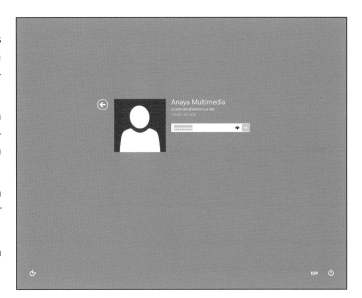

- **Suspender**. Se guardan todas las configuraciones de la sesión de trabajo actual y se inicia un estado de baja energía en el ordenador que podremos recuperar rápidamente pulsando cualquier tecla.

- **Apagar**. Apaga definitivamente el ordenador guardando todas las configuraciones necesarias y avisando al usuario de posibles cambios en aplicaciones o documentos que puedan existir todavía abiertos en el entorno.

- **Reiniciar**. Realiza todas las operaciones de apagado del ordenador y vuelve a iniciar Windows.

Bloquear, cerrar sesión, cambiar de usuario

1. En la pantalla Inicio, haga clic sobre el botón con el nombre de usuario que se muestra en la esquina superior derecha.

2. Seleccione la opción correspondiente al tipo de acción que desee realizar:

- **Cambiar imagen de cuenta**. Abre una pantalla de configuración de Windows desde la que se puede modificar la imagen de la cuenta actual.

- **Bloquear**. Muestra la pantalla de bloqueo donde tendremos que reiniciar el proceso de entrada de usuario que describimos anteriormente. Esta situación es ideal cuando queremos ausentarnos durante un breve periodo de tiempo y deseamos evitar una posible intrusión en el equipo.

- **Cerrar sesión**. Cierra la sesión de trabajo del usuario actual y muestra la pantalla de bloqueo. Después de cerrar la sesión, podremos volver a iniciar una nueva sesión con otro usuario diferente o con el mismo usuario.

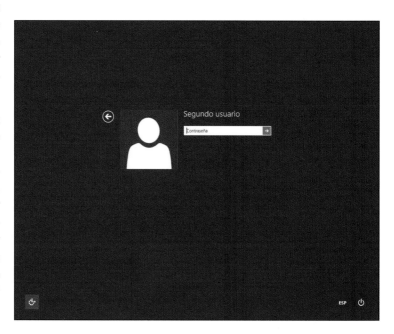

Correo

1. Haga clic sobre el botón **Correo** de la pantalla Inicio.

2. Para obtener una cuenta Microsoft, en la primera pantalla que aparece, haga clic sobre Registrarse par obtener una cuenta Microsoft. Se abrirá una ventana del navegador Internet Explorer.

3. En la sección ¿Quién eres?, introduzca sus datos personales.

4. En la sección ¿Cómo quieres iniciar sesión? escriba una dirección de correo electrónico en el cuadro de texto Nombre de cuenta Microsoft o bien haga clic sobre el vínculo O consigue una nueva dirección de correo electrónico para crear una nueva cuenta de correo (deberá escribir el nombre deseado en el cuadro de texto Nombre de cuenta Microsoft.

5. En los cuadros de texto Crea una contraseña y Vuelve a escribir la contraseña, escriba la contraseña que desea asignar a la cuenta.

6. En la sección Si pierdes la contraseña, ¿cómo podemos ayudarte a restablecerla, elija la forma de recuperación de su contraseña que desea: un número de teléfono, una dirección de correo electrónico alternativa o una pregunta de seguridad (debe seleccionar al menos dos procedimientos).

7. Rellene el resto de la información de la página y haga clic sobre el botón **Acepto**. Se abrirá en Internet Explorer una sesión de Windows Live.

Puede cerrar la ventana de Internet Explorer, igual que cualquier ventana de aplicación de la pantalla Inicio situando el puntero del ratón en el borde superior de la pantalla hasta que se convierta en la forma de una mano. Haga clic, arrastre el ratón hacia el borde inferior de la pantalla y suelte el botón.

1. Vuelva a la aplicación Correo, haciendo clic nuevamente sobre su botón en la pantalla Inicio o pulsando la tecla **Alt** y, repetidamente la tecla **Tab** hasta seleccionar la pantalla de la herramienta.

2. En el cuadro de texto superior, escriba el nombre de la cuenta Microsoft que acaba de crear.

3. En el cuadro de texto inferior, escriba la contraseña. Recuerde la combinación de mayúsculas y minúsculas que utilizó durante la creación de la contraseña.

4. Haga clic sobre el botón **Iniciar sesión**.

5. Haga clic sobre cualquier bandeja en el lateral izquierdo de la pantalla y a continuación, haga clic sobre el encabezado de cualquier mensaje de la lista de mensajes de la bandeja para ver su contenido en el lateral derecho de la pantalla.

6. Haga clic sobre el botón **Nuevo** (⊕) para crear un nuevo mensaje.

7. Escriba la dirección del destinatario en el cuadro de texto Para.

8. Escriba el contenido del mensaje en la sección central de la pantalla, sobre el texto "Enviado desde mi PC con Windows 8".

9. Haga clic sobre el botón **Enviar** (⊜) para enviar el mensaje.

Bandejas   Lista de mensajes   Vista previa del mensaje seleccionado

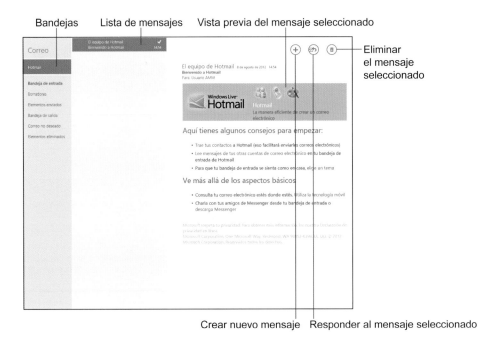

Eliminar el mensaje seleccionado

Crear nuevo mensaje   Responder al mensaje seleccionado

Contactos

Para abrir la aplicación Contactos haga clic sobre su mosaico en la pantalla Inicio. Esta aplicación permite realizar un seguimiento de nuestros contactos en diferentes redes sociales de Internet.

Por ejemplo, para añadir a la herramienta Contactos sus contactos de Facebook:

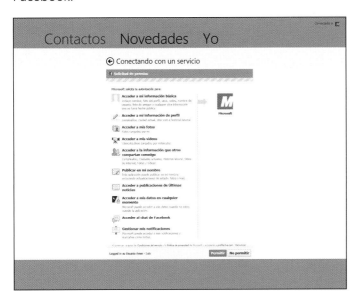

1. Haga clic sobre el vínculo Facebook que aparece en la pantalla.

2. Haga clic sobre el botón **Conectar**. El programa le pedirá que introduzca sus datos de conexión a Facebook, es decir, su nombre de usuario y contraseña. Cuando haya finalizado, haga clic sobre el botón **Entrar**.

3. El servicio de Facebook solicitará su permiso para acceder a determinados detalles de su perfil en la red social. Haga clic sobre el botón **Permitir** para continuar. Cuando el proceso haya concluido, todos sus contactos de Facebook aparecerán listados en la pantalla de Contactos de la aplicación.

Si se pregunta para qué sirven las otras dos secciones que aparecen en la aplicación Contactos (Novedades y Yo), la primera de ellas muestra los últimos movimientos realizados en la aplicación y la segunda, un listado de los perfiles propios de las redes sociales a las que se encuentra conectado.

Mensajes

Para abrir la aplicación Mensajes haga clic sobre su mosaico en la pantalla Inicio. Mensajes es una aplicación de chat para mantener conversaciones con otros usuarios.

Haga clic con el botón derecho del ratón sobre cualquier espacio en blanco de la ventana para mostrar los comandos de la aplicación en el extremo inferior de la misma.

- **Estado:** sirve para modificar el estado que ven los demás usuarios del chat: Conectado o Invisible.

- **Invitar:** un menú que dispone de dos opciones: Agregar un amigo y Ver invitaciones. Cuando ejecutamos el comando Agregar un amigo, aparece una ventana de Windows Live donde se puede realizar una búsqueda de otros usuarios por nombre o correo electrónico. Escriba el nombre del contacto y haga clic sobre el botón **Siguiente**. Si el sistema lo localiza, mostrará una nueva ventana donde podremos invitarlo a una conversación por chat haciendo clic sobre el botón **Invitar**. Ver invitaciones muestra una pantalla de Windows Live con las invitaciones que hemos recibido y que están pendientes de confirmar.

- **Comentarios:** sirve para realizar un comentario sobre la aplicación y decir si nos gusta o no nos gusta.

- **Eliminar:** elimina la conversación actual.

- **Nuevo:** abre una ventana de la aplicación Contactos donde se nos muestran todos los contactos que tenemos definidos o los que se encuentran en línea en este momento.

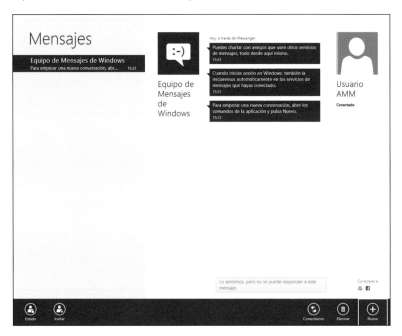

Calendario

El Calendario es una completa agenda que nos permitirá llevar el seguimiento de nuestras citas y reuniones de una forma sencilla y cómoda. Para iniciar la aplicación, nuevamente haga clic sobre su imagen.

1. Haga clic sobre los botones **‹** y **›** para recorrer los meses del calendario.

2. Haga clic sobre el recuadro de cualquier día para establecer una nueva cita. Aparecerá una nueva ventana con el cursor de edición preparado para escribir el título de la nueva cita en el borde superior de la pantalla. Escriba la descripción de la cita y haga clic sobre la zona central de la ventana, sobre el epígrafe "Agregar un mensaje". Escriba una descripción más exhaustiva de la cita o cualquier información adicional relativa a la misma.

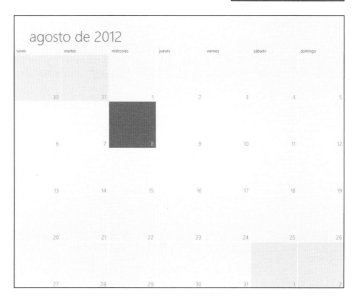

3. En la sección **Detalles** (en el lateral izquierdo de la ventana), configure las características de la cita utilizando los campos disponibles: **Dónde** (dirección donde tendrá lugar la cita), **Cuándo** (día, mes y año de la cita si no corresponden con el día seleccionado inicialmente en el calendario), **Inicio** (hora concreta de la cita), **Duración** (duración aproximada de la cita), **Frecuencia** (indique si la cita será única [**Una vez**] o si se repetirá diariamente, todos los días entre semana, cada semana, todos los meses o todos los años), etc.

4. Cuando haya finalizado, haga clic sobre el botón **Guardar este evento** para almacenar el evento en el Calendario.

> Para editar cualquier cita, no tiene más que hacer clic sobre su entrada en el Calendario.

Fotos

La herramienta Fotos le permitirá acceder a las fotos y vídeos que tenga almacenadas en su ordenador, sus fotos de servicios tales como SkyDrive, Facebook o Flickr o incluso fotos que tenga almacenadas en otros dispositivos tales como teléfonos móviles o tablet. Para abrir la aplicación, haga clic sobre su icono en la pantalla de Inicio.

1. El primer recuadro en el borde inferior de la pantalla, mostrará las imágenes que tenga almacenadas en el disco duro de su ordenador, dentro de la carpeta **Imágenes** de la carpeta **Bibliotecas** de Windows. Haga clic sobre este recuadro para acceder a su contenido.

2. Pueden aparecer distintas bibliotecas y álbumes con diferentes conjuntos de fotografías. Haga clic sobre ellos nuevamente para acceder a su contenido.

3. La aplicación Fotos mostrará por defecto las fotografías disponibles en forma de tira que podrá ir recorriendo utilizando la barra de desplazamiento del borde inferior de la pantalla. Si desea ver una fotografía a pantalla completa, simplemente haga clic sobre su superficie.

4. Mientras se encuentra examinando una biblioteca o álbum de fotos, haga clic con el botón derecho del ratón sobre cualquier espacio vacío de la ventana de la aplicación. En la esquina inferior derecha de la pantalla, aparecerán una serie de botones para realizar diferentes acciones con las colecciones de imágenes del programa, en especial:

-   **Presentación:** inicia una presentación de diapositivas con las imágenes de la biblioteca o el álbum actual.

-   **Importar:** abre una lista desplegable con una serie de dispositivos conectados al ordenador (discos extraíbles, tarjetas de memoria u otros dispositivos) desde la que se pueden seleccionar nuevas imágenes para su importación a la biblioteca o álbum actual.

El tiempo

Esta aplicación ofrece la predicción meteorológica por cortesía de Bing. Abra la aplicación haciendo clic sobre su recuadro en la pantalla Inicio. Si es la primera vez que utiliza la aplicación, haga clic sobre el botón **Permitir** para que la aplicación utilice los datos de ubicación predeterminados del usuario.

La ventana principal de El tiempo muestra la temperatura y estado del tiempo actual, una previsión a cinco días, una previsión horaria del día actual con la temperatura prevista, el estado del tiempo, la sensación térmica y la posibilidad de lluvias, mapas de previsiones de temperatura, precipitaciones, nubosidad y vista por satélite, y un historial de temperaturas y precipitaciones del mes actual. Haga clic con el botón derecho del ratón en cualquier espacio vacío de la aplicación para mostrar sus botones de comando:

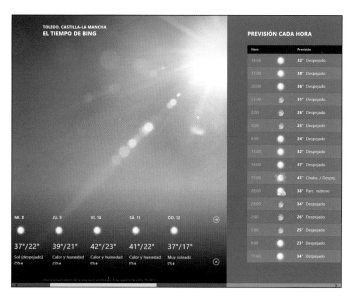

- **Actualizar:** actualiza las previsiones meteorológicas.

- **Inicio:** regresa a la página principal de la aplicación El tiempo.

- **Lugares:** permite seleccionar la ubicación para la que deseamos mostrar las predicciones meteorológicas o crear nuevas ubicaciones. Para ello, haga clic sobre el botón **+** y escriba la ubicación que desea localizar. Si existen varias localizaciones con el mismo nombre, el programa mostrará una lista donde podremos elegir la que corresponda a nuestros deseos. Una vez localizada, haga clic sobre el botón **Agregar**.

- **Establ. como predet.:** cuando tenemos seleccionada una ubicación en la lista de lugares de la aplicación (haciendo clic con el botón derecho del ratón sobre su entrada) o en la pantalla de inicio, dicha ubicación quedará establecida como predeterminada y será la que se mostrará cada vez que se abra el programa.

- **Anclar:** sirve para anclar la predicción meteorológica de la ubicación seleccionada en la pantalla Lugares a la pantalla Inicio de Windows.

- **Eliminar:** elimina la ubicación actualmente seleccionada en la pantalla Lugares.

- **El tiempo en el mundo:** informe meteorológico de diversos puntos destacados del planeta.

Tienda

En la tienda de Microsoft se irán incluyendo nuevas aplicaciones tanto de pago como gratuitas que podrá añadir a su arsenal de herramientas del sistema operativo. Para abrir la tienda de Microsoft, haga clic sobre su mosaico en la pantalla Inicio. Se mostrarán las aplicaciones disponibles más destacadas. Utilice la barra de desplazamiento para moverse por las distintas categorías.

1. Haga clic sobre la imagen o el nombre de una categoría de aplicaciones para acceder a su lista de programas.

2. Cuando encuentre un programa de su interés haga clic sobre su imagen para iniciar la descarga.

3. En la pantalla de información, haga clic sobre el botón **Instalar**. Mientras el programa se instala en segundo plano, volveremos a la pantalla principal de la tienda donde podremos seguir trabajando con normalidad. Un mensaje en la esquina superior de la pantalla, nos informará del estado de progreso de la instalación de la aplicación.

Una vez finalizada su instalación, podrá empezar a utilizar la aplicación desde la pantalla Inicio de Windows.

Mapas

Mapas es una herramienta de geolocalización y mapas. Para abrir la herramienta haga clic sobre su icono en la pantalla Inicio.

La primera vez que abra la aplicación Mapas, el programa le preguntará si le permite utilizar los datos sobre su ubicación. Haga clic sobre el botón **Permitir** para aprovecharse de toda la funcionalidad de esta herramienta.

1. Aumente o reduzca la escala del mapa haciendo clic respectivamente sobre los botones **+** y **-** situados en el lateral izquierdo de la ventana.

2. Haga clic sobre cualquier punto del mapa y arrastre el puntero del ratón para desplazarse por el mapa.

3. Haga clic sobre cualquier punto del mapa con el botón derecho del ratón para abrir las opciones disponibles en el programa. Estas opciones se materializan en forma de una serie de botones en la esquina inferior derecha de la pantalla, con las siguientes funcionalidades:

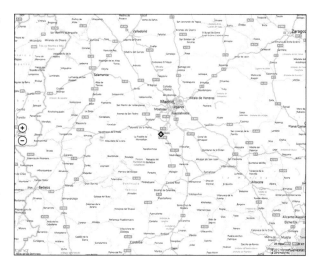

- **Mostrar tráfico:** activa o desactiva la representación del tráfico actual de las carreteras que se muestran en el mapa mediante un código de colores que representa la intensidad de circulación en cada punto.

- **Estilo de mapa:** abre una lista en la que podemos elegir dos estilos de mapa: Vista de carreteras o Vista aérea.

- **Mi ubicación:** centra el mapa automáticamente en la ubicación definida para el usuario actual, que se representa en forma de rombo.

- **Indicaciones:** con esta opción podemos obtener una ruta de viaje entre dos puntos.

SkyDrive

SkyDrive es una herramienta de Microsoft que le permitirá almacenar documentos e imágenes en la Nube, pudiendo acceder a sus archivos desde cualquier parte a través de diferentes dispositivos. Para abrir SkyDrive en Windows 8, haga clic sobre su icono en la pantalla Inicio.

Cuando acceda a SkyDrive (es posible que necesite introducir sus credenciales de cuenta Microsoft), podrá ver tres secciones claramente diferenciadas en la esquina superior izquierda de la pantalla: Documentos, Fotos y Público (que contiene los archivos de carácter público que deseemos compartir con otros usuarios). Haga clic sobre cualquiera de estas secciones para acceder a su contenido.

Haga clic con el botón derecho del ratón sobre cualquier espacio vacío de la aplicación para acceder a sus opciones de trabajo, principalmente:

- **Actualizar:** cuando haya realizado algún cambio en el contenido de SkyDrive, haga clic sobre este botón para que dicho cambio quede reflejado en el programa.

- **Agregar:** permite agregar nuevos archivos a SkyDrive. En la ventana que aparece en pantalla, haga clic sobre Archivos, en el borde superior, para abrir una lista desplegable con las ubicaciones desde las que se pueden obtener nuevos archivos para SkyDrive. Una vez seleccionada la ubicación, aparecerán en pantalla las unidades de disco o carpetas disponibles para dicha ubicación. Navegue por ella hasta localizar el archivo o grupo de archivos que desea añadir a SkyDrive. Seleccione los archivos haciendo clic sobre su imagen para que aparezca una marca de verificación en la esquina superior izquierda y, cuando haya terminado, haga clic sobre el botón **Agregar a SkyDrive**.

Noticias

Todo tipo de noticias al alcance de su mano desde su ordenador. Para abrir la aplicación haga clic sobre su recuadro en la pantalla Inicio.

1. Desplácese por las diferentes secciones utilizando la barra de desplazamiento del borde inferior de la pantalla.

2. Cuando localice una noticia de su interés, haga clic sobre su imagen o texto para abrirla a pantalla completa.

Haga clic con el botón derecho del ratón sobre cualquier espacio vacío para acceder a las opciones del programa.

- **Bing Diario:** las noticias del día por cortesía de Bing.

- **Mis noticias:** permite crear un conjunto de noticias personalizado. Haga clic sobre el botón **+** para agregar una nueva sección a las noticias personalizadas, escriba su nombre y haga clic sobre el botón **Agregar**.

- **Orígenes:** permite seleccionar orígenes de datos de los principales medios de difusión del país, 20 minutos, Expansión, Intereconomía, El Mundo y un largo etcétera.

Deportes

Todo tipo de información deportiva desde la pantalla Inicio. Haga clic sobre su botón para abrir la aplicación.

1. Desplácese por las diferentes secciones utilizando la barra de desplazamiento del borde inferior de la pantalla.

2. Cuando localice una noticia de su interés, haga clic sobre su imagen o texto para abrirla a pantalla completa.

Haga clic con el botón derecho del ratón en cualquier espacio vacío para acceder a las opciones de la aplicación.

- **Hoy:** incluye los titulares y noticas de la jornada.

- **Equipos favoritos:** permite mantener una lista de nuestros equipos favoritos para llevar un seguimiento especial de sus evoluciones. Haga clic sobre el botón **+**, escriba el nombre de su equipo y haga clic sobre el botón **Agregar**.

- **La liga:** encuentros, resultados y clasificaciones de la liga española.

- **Premier League:** noticias, clasificaciones y resultados de la liga inglesa.

- **Formula 1:** noticas, resultados y clasificaciones de pilotos y escuderías.

- **Golf:** directamente del green a nuestra pantalla, clasificaciones, calendarios, etc.

- **NBA:** toda la información de los gigantes americanos: calendarios, clasificaciones, jugadores y equipos.

- **Todos los deportes:** permite agregar nuevos deportes a la lista anterior o eliminar los ya existentes. Seleccione un deporte haciendo clic sobre su icono y haga clic sobre los botones **Agregar** o **Eliminar** respectivamente.

- **Lo mejor de la Web:** Web recomendadas sobre el mundo del deporte.

Viajes

Imágenes y artículos para el aficionado a los viajes. Reportajes sobre destinos destacados, atracciones, hoteles, restaurantes, etc. Haga clic sobre su recuadro en la pantalla Inicio para acceder a la aplicación. Haga clic con el botón derecho del ratón para mostrar las opciones de la aplicación:

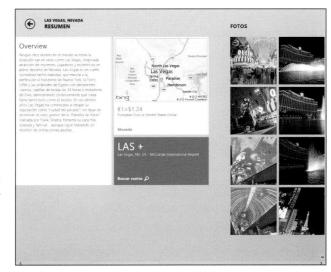

- **Inicio:** muestra la pantalla de inicio del programa.

- **Destinos:** un completo listado de destinos de interés con toda la información que necesitará para su viaje.

- **Ordenar:** permite ordenar los destinos por popularidad o por nombre.

© Nico Roig – 360cities

- **Vuelos:** un buscador de vuelos plenamente funcional. La pantalla incluye panorámicas en 3D de algunos de los principales aeropuertos del planeta. Haga clic y arrastre el ratón para dar un recorrido de 360 grados de la representación del aeropuerto.

- **Hoteles:** buscador de hoteles en todo el mundo. También incluye panorámicas en 3D de varios hoteles.

- **Lo mejor de la Web:** recomendaciones de Web relacionadas con viajes y el mundo del viajero.

Finanzas

Información financiera de última hora. Conozca de primera mano los principales indicadores financieros de España y el mundo. Para abrir la aplicación, haga clic sobre su recuadro en la pantalla Inicio.
Haga clic con el botón derecho del ratón para acceder a los comandos de la aplicación.

- **Hoy:** noticias y estado de los indicadores financieros del día.

- **Lista de seguimiento:** muestra una lista de los valores cuya cotización se sigue en la aplicación. Para agregar un nuevo valor a la lista, haga clic sobre el botón **+**, escriba el nombre del valor y haga clic sobre el botón **Agregar**.

- **Noticias:** noticias financieras y de negocios.

- **Divisas:** cambio de divisas y conversor (véase la figura 1.19).

- **Mercado mundial:** principales indicadores económicos del planeta.

- **Lo mejor de la Web:** Web recomendadas sobre finanzas y economía.

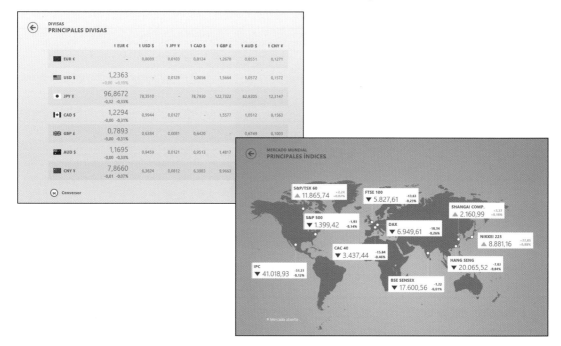

Personalizar la configuración de la pantalla Inicio

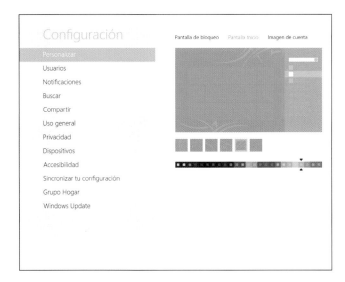

1. En la pantalla **Inicio**, sitúe el puntero del ratón sobre la esquina superior derecha para abrir la barra lateral Charms.

2. Seguidamente, haga clic sobre el botón **Configuraciones**, en el borde inferior de la barra lateral Charms con un icono en forma de rueda dentada.

3. Luego, haga clic sobre el vínculo **Cambiar configuración de PC** en el borde inferior del panel **Configuraciones**.

4. En la ventana **Configuración**, haga clic sobre la opción **Personalizar**, en el lateral izquierdo de la pantalla.

5. Haga clic sobre la opción **Pantalla Inicio** en la lista de vínculos de la esquina superior derecha de la pantalla.

6. Seleccione un diseño haciendo clic sobre cualquiera de los recuadros situados debajo del área de muestra de la pantalla y, a continuación, un color haciendo clic sobre la paleta de colores que hay debajo de los recuadros de diseño.

7. Para cerrar la ventana **Configuración**, sitúe el puntero del ratón sobre el borde superior de la pantalla, haga clic, arrastre el ratón hacia el borde inferior y suelte el botón.

Personalización de mosaicos

Para cambiar de posición un mosaico en la pantalla Inicio:

1. Haga clic sobre su superficie y, sin soltar el botón izquierdo del ratón, arrástrelo hasta su nueva posición.

Para seleccionar un mosaico:

1. Haga clic con el botón derecho del ratón sobre su superficie. Cuando un mosaico se encuentre seleccionado, se abrirá un panel de comandos en el borde inferior de la pantalla con, entre otras, las siguientes funciones:

   - **Borrar selección:** cuando hay más de un elemento seleccionado en la pantalla Inicio, este comando permite deshacer la selección de todos los elementos a la vez automáticamente.

   - **Desanclar de Inicio:** Este comando elimina el acceso directo seleccionado de la página de Inicio.

   - **Desinstalar:** cuando se trate de una aplicación que se pueda desinstalar, este comando procederá a la desinstalación del programa, eliminándolo tanto de la pantalla de Inicio como del ordenador.

   - **Más pequeño/Más grande:** como habrá observado, algunos de los accesos directos de la pantalla Inicio ocupan un pequeño cuadrado y otros ocupan un rectángulo de las dimensiones exactas de dos de los cuadrados pequeños. Cuando esto es posible, el comando **Más pequeño** convierte un acceso rectangular en uno cuadrado y el comando **Más grande** revierte un acceso convertido a cuadrado a su estado de rectángulo.

- **Desactivar el mosaico dinámico/Activar el mosaico dinámico:** como habrá observado, algunos de los accesos de las aplicaciones rotan continuamente mostrándonos información e imágenes de su contenido. El comando **Desactivar el mosaico dinámico** desactiva esta capacidad, mientras que el comando **Activar el mosaico dinámico** la vuelve a activar.

- **Anclar a la barra de tareas:** crea un acceso directo del programa seleccionado en la barra de tareas del Escritorio de Windows. Para más información sobre la barra de tareas, consulte el capítulo 2.

- **Abrir nueva ventana:** abre la aplicación seleccionada en una nueva ventana de Windows 8. Para más información sobre las ventanas, consulte el capítulo 2.

- **Ejecutar como administrador:** algunas aplicaciones, cuando necesitan realizar determinados cambios en el sistema, necesitan disponer de privilegios de administrador durante su ejecución. Con este comando, se ejecutará el programa seleccionado con privilegios de administrador del sistema.

- **Abrir ubicación del archivo:** esta opción abre una ventana del Explorador de Windows con la carpeta donde se encuentra almacenado el archivo ejecutable del programa seleccionado.

- **Todas las aplicaciones:** cambia a una vista de la pantalla Inicio donde se muestra un listado de todas las aplicaciones instaladas en el sistema. Este comando también aparece cuando hacemos clic con el botón derecho del ratón sobre cualquier espacio vacío de la pantalla Inicio.

Para anclar un programa a la pantalla Inicio de Windows:

1. Haga clic con el botón derecho del ratón sobre cualquier espacio vacío de la pantalla Inicio.

2. En la barra de comandos que aparece en el borde inferior de la pantalla, haga clic sobre el botón **Todas las aplicaciones**.

3. Recorra la lista de aplicaciones hasta localizar el programa que desea anclar a la pantalla Inicio y haga clic sobre él con el botón derecho del ratón.

4. Haga clic sobre el botón **Anclar a inicio** del panel de comandos.

Buscar

Se trata de una potentísima herramienta de búsqueda que permite escudriñar todos los rincones de nuestro ordenador en busca de la información exacta que necesitamos.

Cuando haga clic sobre el botón **Buscar** del panel lateral Charms de Windows 8, se abrirá un nuevo panel donde podremos iniciar nuestras búsquedas.

1. Seleccione el tipo de información que desea localizar haciendo clic sobre su nombre en la lista del lateral derecho de la pantalla.

2. En el cuadro de texto del borde superior del panel derecho, escriba sus criterios de búsqueda. Es posible que debajo de este cuadro de texto aparezca un listado con diferentes coincidencias del término buscado. En otras ocasiones, será el área de trabajo del lateral izquierdo de la pantalla la que muestre el listado de opciones disponibles. Haga clic sobre la entrada deseada para mostrar su contenido en la pantalla del ordenador o ejecutar la acción correspondiente.

Compartir

La mayoría de las aplicaciones de la pantalla Inicio permiten compartir su contenido con otros usuarios a través de los contactos almacenados en el sistema operativo o a cualquier persona a través de correo electrónico:

1. Abra la aplicación y seleccione el objeto que desea compartir.

2. Abra la barra lateral Charms y haga clic sobre el botón **Compartir**.

3. Para compartir el objeto seleccionado con su lista de contactos haga clic sobre el botón **Contactos**. En la lista de la esquina superior izquierda del panel Contactos, seleccione el origen de los contactos a los que desea enviar los objetos seleccionados: Facebook, Twitter, Hotmail, etc. Haga clic sobre el texto "Agregar un mensaje" y escriba el contenido del mensaje que desea enviar a sus contactos. Finalmente, haga clic sobre el botón **Enviar** 📧.

O bien:

3. Para enviar el objeto seleccionado por correo electrónico a cualquier usuario haga clic sobre el botón **Correo**.

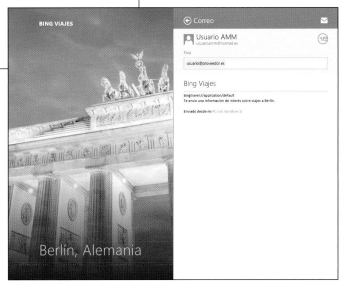

4. En el cuadro de texto Para, escriba la dirección de correo electrónico del destinatario. Si lo desea, encima del texto "Enviado desde mi PC con Windows 8", escriba un mensaje para el destinatario. Finalmente, haga clic sobre el botón **Enviar** 📧.

Configuración

1. Abra la barra lateral Charms y haga clic sobre el botón **Configuración**, en el borde inferior de dicha barra.

Se abrirá el panel Configuración, cuyas opciones dependen del origen sobre el que hayamos abierto la barra lateral Charms. Algunas de las opciones más comunes son:

- **Red:** muestra las conexiones de red y permite activar o desactivar el uso compartido de recursos.

- **Volumen:** permite establecer el volumen de los altavoces del sistema, desplazando la barra deslizante que aparece cuando hacemos clic sobre su icono.

- **Brillo:** permite definir el brillo de la pantalla. Dependiendo del hardware que esté manejando, esta opción puede estar desactivada.

- **Notificaciones:** permite ocultar las notificaciones del sistema durante 1, 3 u 8 horas.

- **Iniciar/Apagar:** muestra un menú desplegable para suspender, apagar y reiniciar el equipo.

- **Teclado:** permite cambiar entre la configuración de teclado en español y la de los idiomas que se hayan instalado en el sistema.

- **Cambiar configuración de PC:** abre la pantalla de configuración con las principales opciones de personalización del sistema operativo.

Procedimientos comunes

- En cualquier pantalla de cualquier aplicación de Windows, pulse la combinación de teclas **Control-Esc** para regresar inmediatamente al a ventana Inicio. También puede pulsar la tecla **Windows**.

- Para recorrer todas las aplicaciones abiertas en un momento dado en el sistema operativo y cambiar de una ventana a otra pulse la combinación de teclas **Alt-Tab**. Sin dejar de presionar la tecla **Alt**, vaya pulsando repetidamente la tecla **Tab** para recorrer las distintas ventanas. Cuando localice la aplicación que desee, levante los dedos del teclado para poder comenzar a trabajar con el programa.

- Las aplicaciones estándar de Windows 8 y de otros proveedores (como Paint y el Bloc de Notas, Microsoft Word o Excel, Adobe Photoshop, etc.) disponen, como probablemente ya conocerá de sus propios mecanismos para cerrarse y dejar de consumir recursos en el ordenador, tales como comandos de menú Salir o botones **Cerrar**, generalmente en forma de aspa y en la esquina superior derecha de la ventana de la aplicación. Sin embargo, las aplicaciones de la pantalla Inicio no consumen recursos, por lo que no es necesario cerrarlas, permanecen habitualmente activas en el entorno y sólo eventualmente las cierra el propio sistema operativo. No obstante, si es de los que prefiere dar por finalizada una aplicación una vez que ha acabado de trabajar con ella el funcionamiento es el siguiente: sitúe el puntero del ratón en el borde superior de la ventana de la aplicación, hasta que cambie la forma de dicho puntero por la de una mano. Haga clic y, manteniendo presionado el botón izquierdo del ratón, arrastre literalmente la ventana de la aplicación hacia el borde inferior de la pantalla, donde deberá soltarla. Ahora, cuando recorra las aplicaciones abiertas en el sistema con la combinación de teclas **Alt-Tab**, podrá comprobar que la aplicación ha desaparecido.

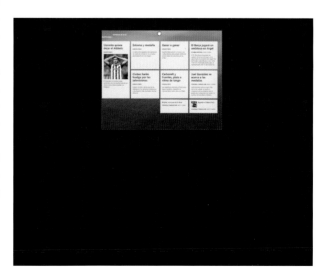

Capítulo 2
El Escritorio de Windows

El aspecto del Escritorio

Papelera de reciclaje   Fondo del escritorio

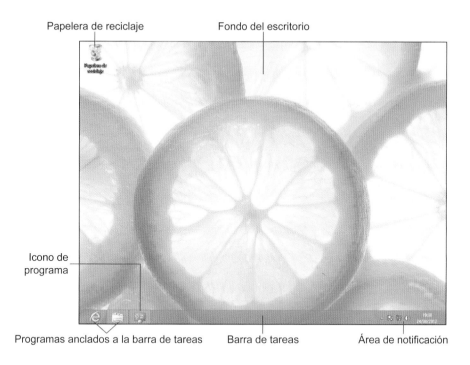

Icono de
programa

Programas anclados a la barra de tareas   Barra de tareas   Área de notificación

Accesos directos

Iconos   Cuadro de diálogo   Barra de título   Cinta de opciones

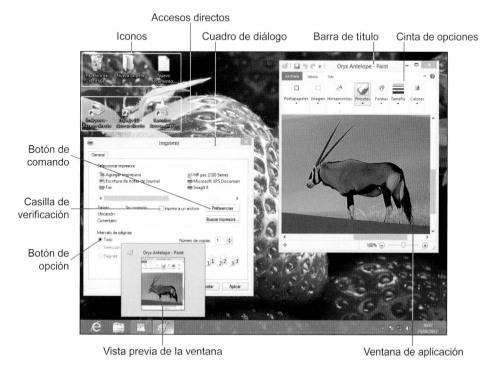

Botón de
comando

Casilla de
verificación

Botón de
opción

Vista previa de la ventana   Ventana de aplicación

Abrir y cerrar el escritorio

Para abrir el Escritorio de Windows 8:

1. En la pantalla Inicio, haga clic sobre su mosaico.

Para cambiar entre la pantalla Inicio y el Escritorio de Windows cuando no hay abierta ninguna aplicación en el entorno:

- Pulse la combinación de teclas **Control-Esc**.

- Pulse la tecla **Windows**.

- En la barra lateral Charms, haga clic sobre el botón **Inicio**.

Cuando hay alguna aplicación abierta en el entorno, para pasar de la pantalla Inicio al Escritorio de Windows además de las anteriores opciones podrá pulsar la tecla **Alt** y, manteniendo pulsada dicha tecla, pulsar repetidamente la tecla **Tab** hasta seleccionar el Escritorio.

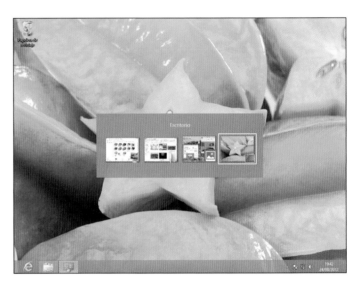

El Escritorio de Windows sólo se puede cerrar si no hay ninguna aplicación abierta en el entorno. Para hacerlo, sitúe el puntero del ratón en el borde superior del Escritorio hasta que se convierta en una forma de mano.

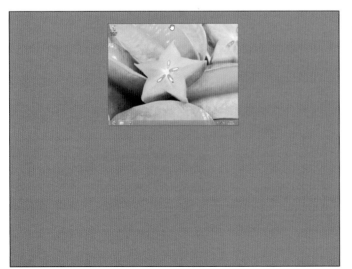

A continuación haga clic y, manteniendo presionado el botón izquierdo arrastre el ratón hasta el borde inferior de la pantalla. Suelte finalmente el botón del ratón para cerrar el Escritorio.

Configuración de la barra de tareas

1. Haga clic con el botón derecho del ratón sobre cualquier espacio vacío de la barra de tareas.

2. En el menú contextual, ejecute el comando **Propiedades**.

3. Si es necesario, active la ficha **Barra de tareas** del cuadro de diálogo **Propiedades de la barra de tareas**.

4. Active o desactive las distintas casillas de verificación según la configuración deseada para la barra de tareas de Windows 8.

Opción	Descripción
Bloquear la barra de tareas	Impide realizar cambios de tamaño, posición y comportamiento de iconos en la barra de tareas.
Ocultar automáticamente la barra de tareas	Hace que la barra de tareas desaparezca fuera de los límites de la pantalla cuando no es utilizada.
Usar botones de barra de tareas pequeños	Activada o desactivada, esta casilla de verificación define el tamaño relativo de los iconos de programas y aplicaciones abiertas que se muestran en la barra de tareas.

5. Para definir la ubicación de la barra de tareas en relación al escritorio de Windows, seleccione la opción deseada en la lista desplegable **Ubicación de la barra de tareas en pantalla:** **Inferior, Izquierda, Derecha** o **Superior.**

6. En la lista desplegable **Botones de la barra de tareas**, defina el comportamiento de los iconos de aplicación que se muestran en la barra de tareas:

Opción	Descripción
Combinar siempre y ocultar etiquetas	Combina en un solo icono todos los documentos abiertos de la aplicación. No muestra la etiqueta descriptiva del programa o documento.
Combinar si barra está llena	Muestra inicialmente un icono para cada documento y empieza a combinarlos cuando se agota el espacio disponible en la barra de tareas. Muestra la etiqueta descriptiva del programa o documento.
No combinar nunca	Muestra siempre un icono independiente para cada documento abierto en la aplicación, reduciendo su tamaño a medida que se va agotando el espacio disponible en la barra de tareas. Muestra también la etiqueta descriptiva del programa o documento.

7. Para configurar el comportamiento del área de notificación de la barra de herramientas, haga clic sobre el botón **Personalizar** de la sección Área de notificación.

8. Para los distintos iconos disponibles en la lista central de la ventana, seleccione la opción correspondiente al tipo de comportamiento deseado:

Opción	Descripción
Mostrar icono y notificaciones	Muestra el icono en el área de notificaciones e informa al usuario de todos los eventos que se produzcan para el elemento correspondiente.
Ocultar icono y notificaciones	Oculta el icono en el área de notificaciones y deja de informar al usuario sobre los eventos del elemento correspondiente.
Mostrar sólo notificaciones	Oculta el icono en el área de notificaciones, pero sigue informando al usuario de los eventos que se produzcan para el elemento correspondiente.

9. Para definir los iconos del sistema que se desean mostrar en el área de notificaciones, hacga clic sobre el enlace Activar o desactivar iconos del sistema.

10. En la lista central de la ventana Iconos del sistema, seleccione para cada icono si desea que esté visible o no en el área de notificaciones (mediante las opciones Activado o Desactivado de la columna Comportamientos).

11. Haga clic sobre el botón **Aceptar** para validar los cambios y cerrar la ventana Iconos del sistema.

12. Hacga clic sobre **Aceptar** para cerrar la ventana Iconos del área de notificación.

13. Active la casilla de verificación Usar vistazo para obtener una vista previa del escritorio al mover el mouse al botón Mostrar escritorio al final de la barra de tareas para obtener una vista del contenido del escritorio cuando se sitúe el puntero del ratón sobre el icono Mostrar escritorio (un pequeño rectángulo invisible situado en el extremo derecho de la barra de tareas) por encima de las ventanas que pueda haber abiertas en ese momento en el sistema.

14. Finalmente, haga clic sobre el botón **Aceptar** para validar los cambios y cerrar el cuadro de diálogo Propiedades de la barra de tareas.

Para cambiar manualmente de posición la barra de tareas sobre el escritorio de Windows:

1. Haga clic con el botón derecho del ratón sobre cualquier espacio vacío de la barra de tareas y, en el menú contextual, ejecute el comando Bloquear la barra de tareas para desbloquear la barra de tareas.

2. Haga clic sobre cualquier espacio vacío de la barra de tareas y, manteniendo presionado el botón izquierdo del ratón, arrastre la barra hasta el lateral del escritorio deseado.

Para cambiar el tamaño de la barra de tareas:

1. Una vez desbloqueada la barra de tareas con el comando Bloquear la barra de tareas del menú contextual, sitúe el puntero del ratón sobre el lateral de la barra de tareas en cuya dirección desee modificar el tamaño.

2. Hachs clic y, manteniendo presionado el botón izquierdo del ratón, arrástrelo hasta la posición deseada. Finalmente, suelte el botón del ratón.

Para añadir una barra de herramientas nueva a la lista de herramientas de la barra de tareas:

1. Haga clic con el botón derecho del ratón sobre cualquier espacio vacío de la barra de tareas.

2. Despliegue el submenú Barras de herramientas del menú contextual.

3. Ejecute el comando correspondiente a la barra de herramientas que desee incorporar a la barra de tareas.

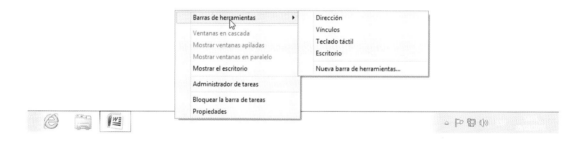

Ventanas

Para mostrar el contenido en miniatura de una ventana en la barra de tareas:

1. Situe el puntero del ratón sobre el botón de la ventana en la barra de tareas y manténgalo inmóvil durante unos segundos.

   Si el botón corresponde a una aplicación con varias ventanas de documento abiertas (por ejemplo, Internet Explorer con dos o más páginas Web abiertas en sendas fichas), aparecerá en pantalla una representación de todos los documentos.

Algunas representaciones en miniatura incluyen botones específicos para el control de la aplicación. Por ejemplo, el botón del Reproductor de Windows Media abre una ventana en miniatura donde se puede iniciar la reproducción multimedia y avanzar y retroceder por la lista de reproducción actual.

2. Cuando se sitúa el puntero del ratón sobre la ventana en miniatura de un botón de la barra de tareas, aparece su representación sobre el escritorio de Windows (con el tamaño que tuviera en el momento de ser minimizada) y un icono (⊠) que permite cerrar directamente el documento o aplicación.

Para cambiar la ventana activa en cada momento en el escritorio de Windows 8:

- Haga clic sobre su botón en la barra de tareas.
- Haga clic sobre su botón en la barra de tareas de Windows.

Para recorrer todas las ventanas abiertas en Windows:

1. Pulse la combinación de teclas **Alt-Tab** y, manteniendo presionada la tecla **Alt**, vaya pulsando la tecla **Tab** hasta que haya seleccionado la ventana deseada.

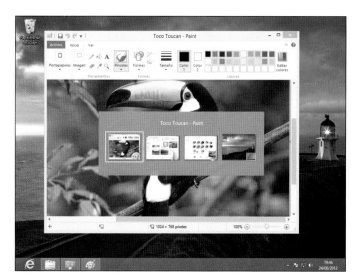

Para mostrar el escritorio de Windows 8:

1. Hacer clic sobre el botón **Mostrar escritorio** (un botón invisible situado en el extremo derecho de la barra de tareas).

Para minimizar todas las ventanas abiertas en el escritorio menos una:

1. Haga clic sobre la barra de título de la ventana que desea dejar abierta en el Escritorio y mantenga presionado el botón izquierdo del ratón.

2. Sacuda ligeramente el ratón a izquierda y derecha hasta que se minimicen el resto de las ventanas.

3. Para recuperar nuevamente la situación inicial, repita los pasos 1 y 2.

Jump List

Las *jump list* de Windows 8 son menús contextuales que recogen distintos tipos de operaciones de uso frecuente para las principales herramientas disponibles en el sistema operativo. Para abrir una *jump list*:

1. Haga clic con el botón derecho del ratón sobre el icono del programa cuya *jump list* desee utilizar.

2. Haga clic sobre la opción deseada en la *jump list*.

Algunas de las operaciones más frecuentes en las *jump list* de Windows 8 son:

- *Nombre de la aplicación*. Sirve para restaurar la ventana de la aplicación cuando está minimizada o para convertirla en la ventana activa en el escritorio.

- **Anclar/Desanclar este programa a la barra de tareas**. Sirve para crear un botón permanente de la aplicación en la barra de tareas (**Anclar**) o para convertirlo en un botón normal (**Desanclar**) cuando ya está anclada la aplicación en la barra de tareas.

- **Cerrar ventana**. Cierra la ventana de la aplicación

- Lista **Reciente** en Internet Explorer. Muestra un listado de las páginas Web visitadas con mayor frecuencia en la aplicación.

- Lista **Frecuente** del Explorador de Windows. Ofrece un acceso directo a las carpetas utilizadas con mayor frecuencia en el sistema, por defecto, las carpetas del sistema como **Documentos**, **Imágenes**, **Música**, etc.

- Lista **Frecuente** del Reproductor de Windows Media. Contiene los elementos multimedia reproducidos con mayor frecuencia en la aplicación.

- **Reanudar lista anterior** en la lista **Tareas** del Reproductor de Windows Media. Reinicia la reproducción de la última lista de reproducción del programa.

- **Reproducir toda la música** en la lista **Tareas** del Reproductor de Windows Media. Reproduce toda la música almacenada en la biblioteca del Reproductor de Windows Media.

- Lista **Frecuente** del Panel de control. Contiene las herramientas de ajuste empleadas con más frecuencia en el sistema.

- **Nueva nota** en la lista **Tareas** de Notas rápidas. Crea una nueva nota en blanco sobre el escritorio de Windows 8.

Si se desea mantener disponible en todo momento cualquiera de las opciones de las secciones **Frecuente** o **Reciente** de la *jump list* de cualquier aplicación:

1. En primer lugar, sitúe el puntero del ratón sobre el elemento que desee anclar en la *jump list* de la aplicación.

2. Haga clic sobre el icono ⊷ que aparece a la derecha del nombre del elemento para anclarlo en la *jump list*. Se creará una nueva categoría de elementos con el nombre **Anclado**.

Para desanclar un elemento de la *jump list* de una aplicación:

1. Sitúe el puntero del ratón sobre el elemento que desee desanclar en la *jump list*.

2. Hacer clic sobre el icono 📌 que aparece a la derecha del nombre del elemento para desanclarlo de la *jump list*.

Maximizar, minimizar, restaurar y cerrar

Para maximizar una ventana (hacer que ocupe toda la superficie disponible en el área de trabajo):

- Haga clic sobre el botón **Maximizar** (▢) situado en la esquina superior derecha de la ventana.

- Haga doble clic en la barra de título de la ventana.

Para devolver la ventana a su tamaño original:

1. Haga clic sobre el botón **Restaurar a tamaño** (▢) situado en la esquina superior derecha de la ventana.

Para minimizar una ventana (dejar solamente su representación en forma de botón en la barra de tareas):

1. Haga clic sobre el botón **Minimizar** (▬) situado en la esquina superior derecha de la ventana.

Para cerrar una ventana:

- Haga clic sobre el botón **Cerrar** (x) situado en la esquina superior derecha de la ventana.

- Pulse la combinación de teclas **Alt-F4**.

Tamaño de una ventana

1. En primer lugar, sitúe el puntero del ratón sobre el lateral de la ventana cuyo tamaño quiera modificar. El puntero tomará el aspecto de una flecha de doble punta. Para modificar el tamaño de dos laterales al mismo tiempo, sitúe el puntero sobre el vértice correspondiente de la ventana.

La forma del puntero dependerá del lateral que se haya seleccionado. La doble flecha indica las direcciones en las que se puede deformar la ventana.

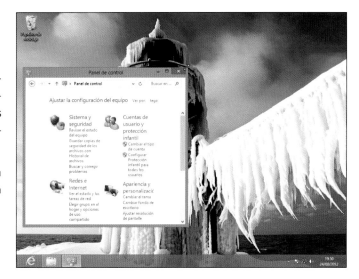

2. Haga clic con el botón izquierdo del ratón y manténgalo presionado mientras arrastra el puntero en la dirección deseada.

3. Suelte el botón del ratón para validar los cambios o pulsar la tecla **Esc** para cancelarlos.

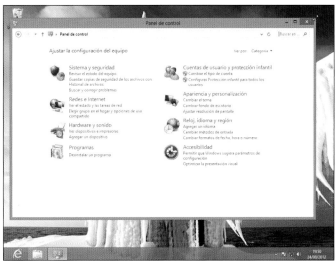

Desplazamiento en ventanas

1. Sitúe el puntero del ratón sobre la barra de título de la ventana.

2. Haga clic con el botón izquierdo del ratón y, manteniéndolo presionado, arrastre la ventana hacia su nueva posición.

3. Suelte el botón del ratón para validar los cambios o pulse la tecla **Esc** para cancelarlos.

O bien:

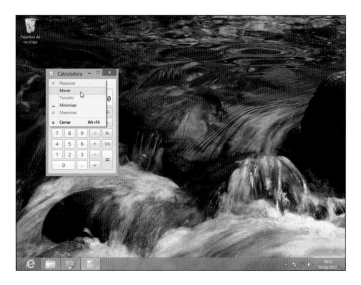

1. Abra el menú de control de la ventana pulsando la combinación de teclas **Alt-Barra espaciadora**.

2. Ejecute el comando Mover haciendo clic sobre su entrada o pulsando la tecla **M**.

3. Utilice las teclas de dirección (**Flecha dcha.**, **Flecha izda.**, **Flecha arriba** y **Flecha abajo**) para desplazar la ventana hasta la posición deseada.

4. Para finalizar, pulse la tecla **Intro** para validar los cambios o la tecla **Esc** para cancelarlos y volver a la situación original.

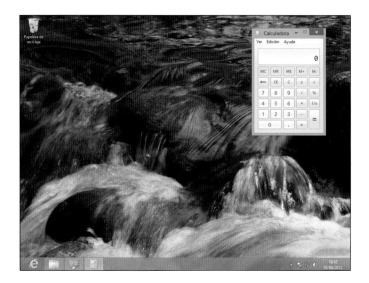

Organizar ventanas

1. Sitúe el puntero del ratón sobre cualquier espacio vacío de la barra de tareas y haga clic con el botón derecho para abrir su menú contextual.

2. A continuación, ejecute los comandos **Ventanas en cascada**, **Mostrar ventanas apiladas** o **Mostrar ventanas en paralelo** haciendo clic sobre su nombre para organizar las ventas en cascada o formando un mosaico sobre la superficie del escritorio.

Comando	Descripción
Ventanas en cascada	Organiza las ventanas en cascada, es decir, superpuestas unas sobre las otras.
Mostrar ventanas apiladas	Organiza las ventanas en distribución regular y en sentido horizontal.
Mostrar ventanas en paralelo	Organiza las ventanas en distribución regular y en sentido vertical.

Para maximizar las ventanas abiertas en el escritorio de Windows por zonas:

1. Haga clic sobre la barra de título de la ventana que desea redistribuir en el escritorio de Windows.

2. Arrastre el ratón hacia el lateral deseado del escritorio y observe la representación que aparece en pantalla de la ventana maximizada.

3. Suelte el botón del ratón para validar los cambios o pulse la tecla **Esc** para cancelarlos.

Para minimizar todas las ventanas abiertas en el escritorio de Windows salvo la ventana seleccionada:

1. Haga clic sobre la barra de título de la ventana que desea mantener visible en el escritorio de Windows.

2. Manteniendo presionado el botón izquierdo del ratón, agite a izquierda y derecha rápidamente el ratón hasta que desaparezcan las restantes ventanas del escritorio.

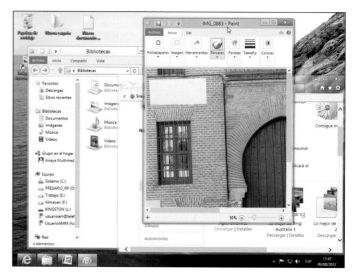

Para abrir nuevamente todas las ventanas minimizadas, repita nuevamente el mismo proceso.

Crear y organizar iconos sobre el escritorio

1. Localice la aplicación, herramienta de configuración, archivo, carpeta, unidad de disco, biblioteca, etc. en una ventana de navegación (véase el capítulo 3) o en una ventana del Panel de control (véase el capítulo 5).

2. Haga clic sobre su icono y, sin soltar el botón izquierdo del ratón, arrástrelo hasta el escritorio teniendo en cuenta lo siguiente:

- Por defecto, siempre que sea posible, el elemento se moverá de su posición original hacia el escritorio (desaparecerá de su posición original).

- Si pulsa la tecla **Control** durante la operación, se creará una copia del objeto en el escritorio.

- Si pulsa la tecla **Alt** durante la operación, se creará un acceso directo del objeto en el escritorio.

Para organizar los iconos disponibles en el escritorio de Windows 8:

1. En primer lugar, haga clic sobre cualquier espacio vacío del escritorio para abrir su menú contextual.

2. Despliegue a continuación el submenú Ver situando el puntero del ratón sobre su nombre y ejecute el comando correspondiente al tipo de icono o comportamiento que desee, según se ilustra en la siguiente tabla:

Comando	Descripción
Iconos grandes, medianos o pequeños	Define el tamaño relativo de los iconos en relación al escritorio.
Organizar iconos automáticamente	A medida que se crean nuevos iconos sobre el escritorio, éstos se alinean y se organizan automáticamente.
Alinear iconos a la cuadrícula	Permite mover los iconos sobre el escritorio de forma que siempre queden alineados entre sí.
Mostrar iconos del escritorio	Permite activar o desactivar la presentación de iconos en el escritorio.

Capítulo 3
El Explorador de Windows

El aspecto del Explorador de Windows

Barra de herramientas de acceso rápido
Botón Atrás
Botón Adelante
Botón Subir
Cuadro de dirección
Actualizar
Ubicaciones anteriores
Buscar

Panel de navegación
Área de trabajo

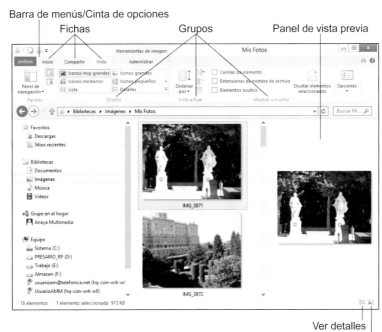

Barra de menús/Cinta de opciones
Fichas
Grupos
Panel de vista previa

Ver detalles
Ver iconos grandes

Abrir el Explorador de Windows

Para abrir el Explorador de Windows desde la pantalla Inicio:

1. Haga clic con el botón derecho del ratón sobre cualquier espacio vacío de la pantalla de Inicio. Se abrirá un panel de opciones con el botón **Todas las aplicaciones** a la derecha.

2. Utilizando la barra de desplazamiento del extremo inferior de la ventana, localice la sección Sistema de Windows, dentro de la cual se encuentra el icono Explorador de Windows. Haga clic sobre él

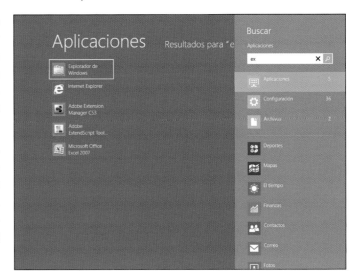

O bien:

1. Comience a teclear el nombre de la aplicación, "Explorador de Windows". Se abrirá el sistema de búsqueda de Windows y aparecerá seleccionada la aplicación en el lateral derecho de la pantalla.

2. Haga clic sobre el icono del Explorador de Windows.

Para abrir la ventana del Explorador de Windows desde el Escritorio:

1. Haga clic sobre su icono en la barra de tareas (el segundo empezando desde la derecha).

Si hubiera desanclado el icono del Explorador de Windows de la barra de tareas del Escritorio:

1. Sitúe el puntero del ratón en la esquina superior derecha de la pantalla para abrir la barra lateral Charms.

2. Haga clic sobre el botón **Buscar**.

3. Escriba el nombre de la aplicación "Explorador de Windows" en el cuadro de texto del panel de búsqueda.

4. Haga clic sobre el icono Explorador de Windows.

Diseño de ventanas

Para mostrar la cinta de opciones de una ventana de navegación en el Explorador de Windows:

1. Despliegue el menú de la barra de herramientas de acceso rápido haciendo clic sobre el botón **Personalizar barra de herramientas de acceso rápido** ⊽.

2. Ejecute el comando Minimizar la Cinta para desactivar su marca de verificación.

Si la Cinta de opciones está minimizada puede acceder a sus opciones haciendo clic sobre cualquiera de sus fichas.

En el grupo Paneles de la ficha Vista utilice las opciones de la siguiente tabla:

Opción	Descripción
Mostrar u ocultar el panel de navegación	Abra el menú del botón **Panel de navegación** haciendo clic sobre él y ejecute el comando Panel de navegación para activar o desactivar su presentación en las ventanas de navegación
Panel de vista previa	Este botón muestra u oculta el panel de vista previa en el lateral derecho de la ventana, donde se puede obtener una visión preliminar del elemento seleccionado en la ventana.
Panel de detalles	Este botón muestra u oculta el panel de detalles en el lateral derecho de la ventana, donde se puede obtener información sobre el contenido de la carpeta o dispositivo actualmente seleccionado en la ventana de navegación.

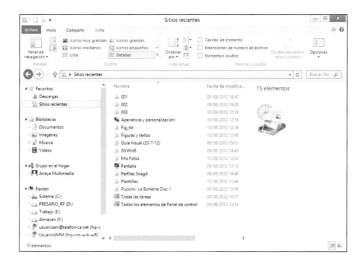

En el grupo **Diseño** de la ficha **Vista** seleccione cualquiera de los diseños predeterminados para los objetos del área de trabajo de la ventana de navegación del Explorador de Windows.

Mosaicos

Lista

Detalles

Contenido

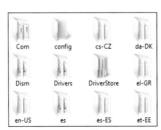

Iconos pequeños **Iconos medianos**

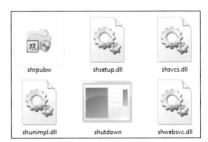

Iconos grandes

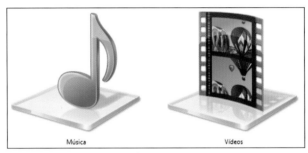

Iconos muy grandes

Organización de iconos

Para reordenar los iconos de la carpeta actual en una ventana de navegación:

1. Abra la ficha Vista de la Cinta de opciones.

2. En el grupo Vista actual, haga clic sobre el botón **Ordenar por** para abrir su menú desplegable y seleccione el tipo de ordenación deseado: nombre, fecha de modificación, tipo, tamaño, fecha de creación, autores, etc. y el sentido de ordenación: ascendente o descendente. Para seleccionar criterios de ordenación adicionales, ejecute el comando Elegir columnas.

Para modificar el tipo de agrupación de los iconos de la carpeta actual:

1. En la Cinta de opciones, abra la ficha Vista.

2. En el grupo Vista actual, despliegue el menú del botón **Agrupar por** □▾ y seleccione el tipo de agrupación deseado nombre, fecha de modificación, tipo, tamaño, etc. y el sentido de ordenación: ascendente o descendente. Para seleccionar criterios de agrupación adicionales, ejecute el comando Elegir columnas.

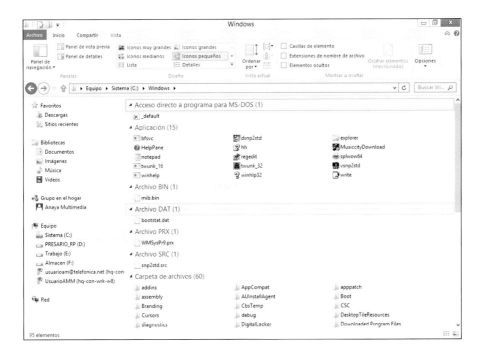

Trabajar con carpetas

1. Para desplegar el contenido de una carpeta, unidad o dispositivo en el panel de navegación, haga clic sobre el icono (▷) situado a la izquierda de su nombre o haga doble clic sobre el elemento.

2. Para volver a comprimir el contenido de una carpeta desplegada, haga clic sobre el icono (◢) situado a la izquierda de su nombre o haga doble clic sobre ella.

Recuerde que si necesita abrir el panel de navegación del Explorador de Windows puede hacerlo abriendo la ficha Vista, desplegando el menú del botón **Panel de navegación** del grupo Paneles y ejecutando el comando Panel de navegación.

3. Para mostrar el contenido de una carpeta, haga clic sobre su nombre en el panel de navegacilón.

También se puede abrir y mostrar el contenido de una carpeta haciendo doble clic sobre su icono en el área de trabajo del Explorador de Windows o bien, seleccionándola y pulsando a continuación la tecla **Intro**.

Seleccionar iconos en el Explorador de Windows

Para seleccionar un grupo de carpetas o archivos contiguos en el área de trabajo del Explorador de Windows:

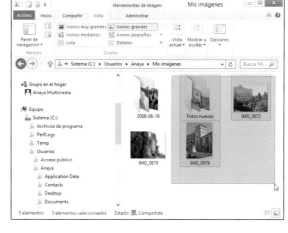

1. Sitúe el puntero del ratón sobre el primero de los archivos o carpetas del grupo y haga clic con el botón izquierdo del ratón para seleccionarlo.

2. Mantenga pulsada la tecla **Mayús** y haga clic sobre el último de los elementos del grupo.

O bien:

1. Sitúe el puntero del ratón sobre cualquiera de las esquinas de un marco imaginario que encierre todos los archivos y carpetas que desea seleccionar.

2. A continuación, haga clic con el botón izquierdo del ratón y arrástrelo hasta abarcar todos los elementos.

Para seleccionar un grupo de archivos o carpetas no contiguos:

1. Sitúe el puntero del ratón sobre el primero de los archivos o carpetas del grupo y haga clic con el botón izquierdo del ratón.

2. Mantenga pulsada la tecla **Control** mientras hace clic sobre cada uno de los restantes elementos que desea seleccionar.

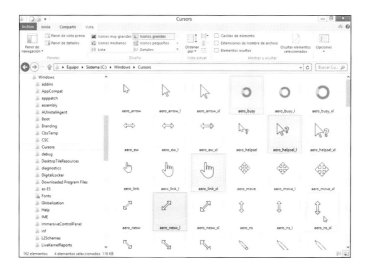

Mover y copiar objetos

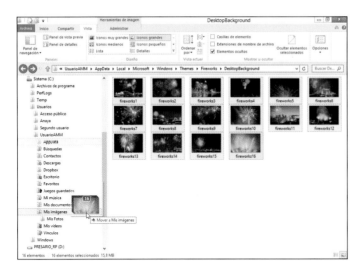

1. Seleccione la carpeta, archivo o grupo de elementos que desee mover o copiar.

2. Mantenga presionado el botón izquierdo del ratón y arrastre los elementos hacia la carpeta de destino en el panel de navegación. Si la carpeta de origen y destino se encuentran en la misma unidad de disco o soporte, la operación predeterminada es el movimiento, mientras que si son unidades o soportes distintos, es la copia.

3. Para forzar la copia de los elementos (en lugar de moverlos), mantenga presionada la tecla **Control**.

4. Para forzar el movimiento de los elementos (en lugar de copiarlos), mantenga presionada la tecla **Mayús**.

5. Para forzar la creación de un acceso directo de los elementos, mantenga presionada la combinación de teclas **Control-Mayús** o la tecla **Alt**.

6. Finalmente, suelte el botón del ratón para validar la operación o pulse la tecla **Esc** para cancelarla.

Las teclas **Control**, **Mayús** y **Alt** permiten modificar el comportamiento de la mayoría de las operaciones del ratón.

Crear carpetas

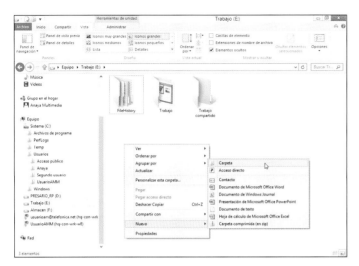

1. Seleccione la unidad de disco o carpeta donde desea crear la nueva carpeta.

2. Haga clic con el botón derecho del ratón sobre cualquier espacio vacío del área de trabajo de la ventana para abrir su menú contextual.

3. Abra el submenú **Nuevo** del menú contextual.

4. Ejecute el comando **Carpeta** del submenú haciendo clic sobre su nombre. Si es necesario, en la ventana del control de cuentas de usuario, escriba la contraseña del administrador y haga clic sobre el botón **Sí**.

5. Escriba el nombre que desea asignar a la carpeta en el recuadro adjunto al icono correspondiente.

6. Pulse la tecla **Intro** para validar los cambios.

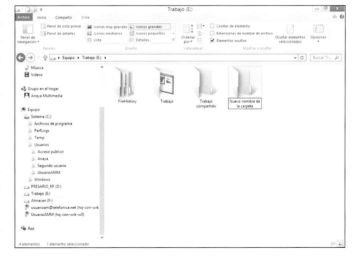

El término carpeta es equivalente al de directorio en otras versiones de Windows y otros sistemas operativos. Una carpeta sirve para mantener agrupados documentos, aplicaciones o cualquier otro elemento del entorno.

También puede crear una nueva carpeta haciendo clic sobre el botón del mismo nombre 🔲 de la barra de herramientas de acceso rápido.

Eliminar archivos y carpetas

1. Seleccione el archivo, carpeta o grupo de elementos que desea eliminar.

2. Pulse la tecla **Supr** para enviarlo a la Papelera de reciclaje.

> Observe que, a diferencia de versiones anteriores del sistema operativo, Windows 8 no muestra ningún mensaje de advertencia antes de enviar un objeto a la Papelera de reciclaje

O bien:

1. Seleccione el archivo, carpeta o grupo de elementos que desea eliminar y haga clic sobre ellos con el botón derecho del ratón para abrir su menú contextual.

2. Después, ejecute el comando **Eliminar** haciendo clic sobre su nombre.

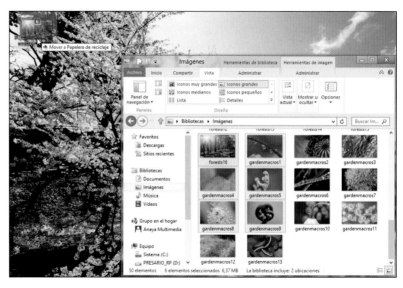

O bien:

1. Seleccione el archivo, carpeta o grupo de elementos que desea eliminar y, manteniendo presionado el botón izquierdo del ratón, arrástrelo hacia el icono de la Papelera de reciclaje en el panel de navegación o en el Escritorio de Windows.

2. Suelte el botón del ratón.

> Para eliminar directamente los elementos seleccionados sin pasar por la Papelera de reciclaje, pulse la combinación de teclas **Mayús-Supr**.

Papelera de reciclaje

Para vaciar el contenido de la Papelera de reciclaje:

1. En el panel de navegación del Explorador de Windows, seleccione el icono de la Papelera de reciclaje haciendo clic sobre su nombre. Es posible que para encontrarlo tenga que hacer clic con el botón derecho del ratón sobre cualquier espacio vacío del panel de navegación y ejecutar el comando Mostrar todas las carpetas.

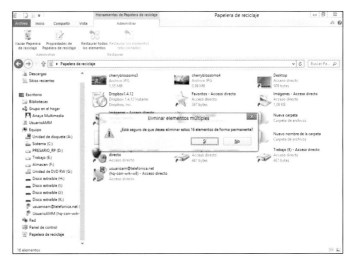

2. Vaya a la ficha Administrar de la Cinta de opciones y haga clic sobre el botón **Vaciar Papelera de reciclaje**.

3. Seguidamente, en el cuadro de mensaje Eliminar archivo, Eliminar carpeta o Eliminar elementos múltiples, haga clic sobre el botón **Sí** para vaciar la Papelera de reciclaje o sobre **No** para cancelar la operación.

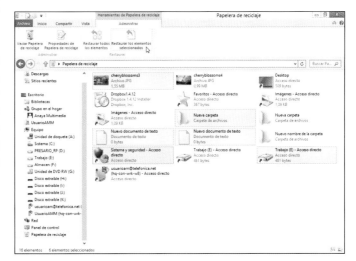

Para recuperar una carpeta o archivo de la Papelera de reciclaje:

1. En el panel de navegación del Explorador de Windows seleccione el icono de la Papelera de reciclaje haciendo clic sobre su nombre.

2. En el área de trabajo de la ventana, seleccione el archivo, carpeta o grupo de archivos o carpetas que desea recuperar.

3. Vaya a la ficha Administrar de la Cinta de opciones y haga clic sobre los botones **Restaurar todos los elementos**, o **Restaurar los elementos seleccionados** del grupo Restaurar.

Personalizar carpetas

1. Seleccione la carpeta que desea personalizar en el panel de navegación o en el área de trabajo del Explorador de Windows.

2. En la Cinta de opciones, active la ficha Inicio.

3. En el grupo **Abrir**, haga clic sobre el botón **Propiedades** (sobre la parte superior del botón, no la parte inferior con un icono en forma de punta de flecha.

4. Seleccione la ficha Personalizar en el cuadro de diálogo de propiedades.

5. En la sección ¿Qué clase de carpeta desea? seleccione el tipo de contenido de la carpeta mediante la lista desplegable correspondiente. Activando la casilla de verificación de la sección, los cambios se aplicarán a todas las subcarpetas de la carpeta actual.

6. Luego, en la sección Imágenes de carpeta, haga clic sobre el botón **Elegir archivo**.

7. En el cuadro de diálogo Examinar, localice el archivo de imagen que desea asignar a la carpeta o escriba

directamente su ubicación en el cuadro de texto Nombre. Haga clic sobre el botón **Abrir**.

8. En la sección Iconos de carpeta, haga clic sobre el botón **Cambiar icono**.

9. Seleccione cualquiera de los iconos disponibles en la lista del cuadro de diálogo Cambiar icono para la carpeta y haga clic sobre el botón **Aceptar**.

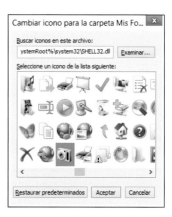

10. Haga clic sobre **Aceptar** en el cuadro de diálogo de propiedades para validar los cambios.

Bibliotecas

En el panel de navegación de la ventana del Explorador de Windows, bajo el epígrafe Escritorio, se encuentra la colección de bibliotecas de Windows 7. Por defecto, las bibliotecas predeterminadas del sistema son:

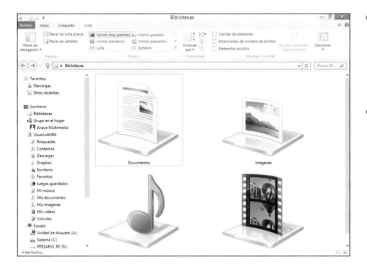

- **Documentos**: carpeta con los documentos del usuario actual y otra para los documentos públicos compartidos en el entorno de red.

- **Imágenes**: carpeta con las imágenes del usuario actual y otra para las imágenes públicas compartidas en el entorno de red, con una serie de imágenes de muestra procedentes de fábrica.

- **Música**: carpeta con la música del usuario actual y otra para la música pública compartida en el entorno de red, con una serie de archivos de muestra procedentes de fábrica.

- **Vídeo**: carpeta con los vídeos del usuario actual y otra para los vídeos públicos compartidos en el entorno de red, con una serie de vídeos de muestra procedentes de fábrica.

Para crear una nueva biblioteca:

1. Active la ficha Inicio.

2. En el grupo Nuevo, busque el botón **Nuevo elemento** y despliegue su menú haciendo clic sobre él.

3. Ejecute el comando Biblioteca.

4. Escriba el nombre de la nueva biblioteca y pulse **Intro** para completar la operación.

Para compartir una biblioteca seleccionada en el Explorador de Windows:

1. Seleccione la biblioteca que desea compartir y active la ficha Compartir.

2. En la lista del grupo Compartir con, seleccionar el grupo de usuarios con el que se desea compartir la biblioteca: Grupo en el hogar (ver) para compartir la biblioteca con los usuarios del grupo Hogar permitiéndoles solamente ver su contenido, sin poder editarlo; Grupo en el hogar (ver y editar) para compartirla con el mismo grupo de usuarios esta vez permitiéndoles editar el contenido; Usuarios específicos para seleccionar un conjunto específico de usuarios; o seleccione cualquiera de los usuarios del ordenador que aparecen en la lista.

Grabación de discos

1. En la ventana del Explorador de Windows, localizar y seleccione la carpeta, archivo o grupo de carpetas y archivos que desea grabar.

2. Abra la ficha **Compartir**.

3. En el grupo **Enviar**, haga clic sobre el botón **Grabar en disco**.

4. Cuando aparezca el mensaje correspondiente en pantalla, inserte un disco vacío en la grabadora del sistema.

5. Escriba el título del disco en el cuadro de texto correspondiente y seleccione el tipo de sistema que se desea utilizar (como unidad flash USB para poder añadir o eliminar archivos en cualquier momento o como reproductor de CD o DVD para maximizar la compatibilidad aunque no se puedan añadir ni eliminar archivos).

6. Haga clic sobre el botón **Siguiente**.

7. Se iniciará el proceso de grabación que pasará por varias etapas. Si desea más información sobre el proceso, haga clic sobre el botón **Más detalles**.

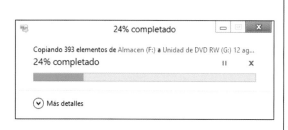

Presentación de imágenes

1. En el Explorador de Windows, abra cualquier carpeta que contenga un conjunto de imágenes y seleccione las que desea mostrar en la presentación.

2. Abra la ficha **Administrar**.

3. En el grupo Vista, haga clic sobre el botón **Presentación**.

4. Haga clic con el botón derecho del ratón para acceder al menú contextual que permite controlar la presentación. Elija cualquiera de los siguientes comandos:

- **Reproducir** o **Pausa**: sirven respectivamente para reanudar una presentación detenida o para detener temporalmente una presentación en curso.

- **Siguiente** o **Atrás**: muestran inmediatamente la imagen siguiente o anterior de la presentación.

- **Orden aleatorio**: muestra las imágenes de la carpeta seleccionada en un orden aleatorio en la presentación.

- **Bucle**: muestra las imágenes de la carpeta seleccionada por orden repitiéndolas continuamente en un bucle en la presentación.

- **Velocidad de presentación**: define el tiempo que permanece en pantalla cada una de las imágenes de la presentación, ofreciendo tres velocidades prefijadas: lenta, media y rápida.

- **Salir**: cierra definitivamente la presentación. Es equivalente a pulsar la tecla **Esc** en el teclado.

Música

1. En el Explorador de Windows, abra cualquier carpeta que contenga un conjunto de archivos de música y seleccione los que desee reproducir.

2. Abra la ficha Reproducir.

3. Haga clic sobre los botones **Reproducir** o **Reproducir todo** (si no ha seleccionado ningún archivo en el paso 1) para reproducir los archivos seleccionados o todo el contenido de la carpeta.

4. Se abrirá la aplicación **Música** de la pantalla Inicio y comenzará la reproducción de los archivos seleccionados.

Para controlar la reproducción la herramienta ofrece los siguientes elementos:

- En la parte central de la ventana los botones < y > permiten acceder a la pista anterior y siguiente respectivamente de la lista de reproducción.

- Justo en el centro, un botón con forma de dos barras verticales detiene temporalmente la reproducción. En ese momento, el botón cambia su forma por un triángulo haga clic sobre él para volver a reanudar la reproducción.

- En la esquina inferior izquierda de la pantalla un botón con forma de lista de puntos permite acceder a la lista de reproducción actual.

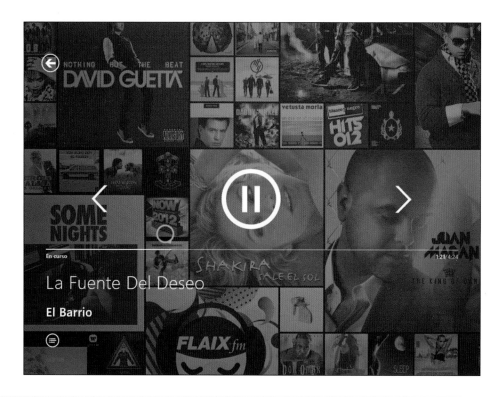

Búsquedas

1. En la ventana del Explorador de Windows, seleccione en el panel de navegación la carpeta o dispositivo donde desea iniciar la búsqueda.

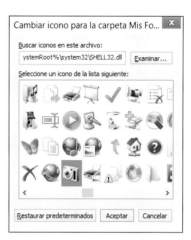

2. En el cuadro de texto de la esquina superior derecha de la ventana, escriba el texto que coincida en parte o en su totalidad con el nombre del elemento que desea localizar. No es necesario pulsar la tecla **Intro**. La búsqueda se inicia de forma automática.

3. Para categorizar los resultados de la búsqueda, abra la ficha Buscar y en el grupo Refinar, seleccione cualquiera de los filtros disponibles:

Filtro	Descripción
Fecha de modificación	Sirve para filtrar las entradas por una fecha concreta o un período de tiempo relativo.
Tipo	Formato de archivo: calendario, contacto, documento, correo electrónico, carpeta, película, música y un largo etcétera.
Tamaño	Filtra las entradas por tamaño del archivo.
Otras propiedades	Permite especificar un tipo, nombre, ruta de acceso a la carpeta o etiqueta personalizado.

Si la búsqueda no ofrece los resultados deseados, puede modificar la ubicación de búsqueda empleando las opciones del grupo Ubicación de la ficha Buscar:

Opción	Descripción
Equipo	Amplía la búsqueda a todo el equipo.
Carpeta actual	Limita la búsqueda a la carpeta actual, sin incluir subcarpetas.
Todas las subcarpetas	Amplía la búsqueda a toda la red de subcarpetas dependientes de la carpeta actualmente seleccionada.
Buscar de nuevo en	Abre un menú con una lista de ubicaciones donde repetir la búsqueda: Grupo en el Hogar, Bibliotecas, Notas rápidas e Internet.

El grupo **Opciones** de la ficha **Buscar** incluye además una serie de opciones avanzadas para categorizar la búsqueda. Dentro del botón **Opciones avanzadas**, encontrará un menú con las siguientes posibilidades:

Opción	Descripción
Coincidencias parciales	Amplía los criterios de búsqueda tanto a los objetos que coinciden con el criterio de búsqueda por completo como a los que coinciden sólo parcialmente.
Cambiar ubicaciones indizadas	Abre el cuadro de diálogo **Opciones de indización** donde se pueden especificar las ubicaciones incluidas o excluidas de los índices de Windows 8.
En ubicaciones no indizadas	especifica el rango de búsqueda en ubicaciones no incluidas en los índices de Windows. Ofrece tres opciones que se pueden activar o desactivar: **Contenido del archivo**, **Archivos de sistema** y **Carpetas comprimidas**. Una marca de verificación a la izquierda del nombre de cada uno de estos comandos significa que se ampliará la búsqueda al elemento correspondiente.

Finalmente, dentro del grupo **Opciones** de la ficha **Buscar**, tenemos también los siguientes comandos:

Opción	Descripción
Búsquedas recientes	Una lista con las últimas búsquedas que se han llevado a cabo.
Guardar búsqueda	Permite almacenar una búsqueda con todos sus criterios para recuperarla fácilmente más adelante.
Abrir ubicación de archivo	Cuando seleccionamos cualquiera de los resultados de la lista de búsqueda, abre la carpeta que contiene dicho archivo en el área de trabajo del Explorador de Windows.

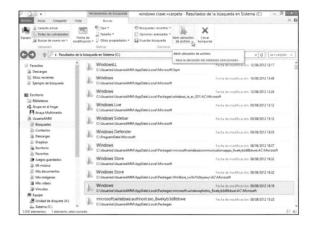

Otras opciones del Explorador de Windows

- Fácil acceso. Cuando tenga seleccionado un objeto o grupo de objetos en la ventana del Explorador de Windows, vaya a la ficha Inicio y despliegue el menú del botón **Fácil acceso** del grupo Nuevo. En este menú puede crear un acceso directo del objeto o grupo de objetos en la pantalla Inicio, en una biblioteca, en la lista de favoritos, o configurar como si se tratase de una unidad de disco.

- Optimizar, limpiar o dar formato a una unidad de disco. Cuando tenga seleccionada una unidad de disco en el Explorador de Windows, la ficha Administrar de la Cinta de opciones contendrá un grupo llamado también Administrar donde podrá llevar a cabo estas labores de mantenimiento de la unidad.

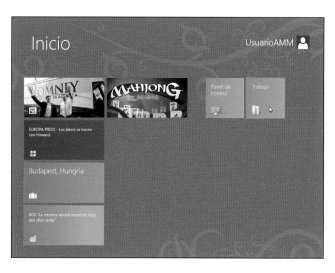

- Expulsar un disco o iniciar la reproducción automática de un disco. Cuando el elemento seleccionado es una unidad de CD o DVD, se puede expulsar el disco o iniciar su reproducción desde el grupo Medios de la ficha Administrar de la Cinta de opciones.

- Abrir el Centro de redes y recursos compartidos, conectar a un ordenador con Conexión a Escritorio remoto. Cuando seleccione la opción Red en el panel de navegación del Explorador de Windows, podrá acceder directamente al Centro de redes y recursos

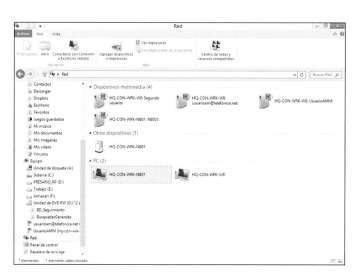

compartidos (véase el capítulo 6) desde la ficha Red de la Cinta de opciones. Si selecciona un ordenador de la red, podrá conectar a él mediante Conexión a Escritorio remoto para supervisar su funcionamiento.

Capítulo 4
Aplicaciones
de Windows

Acceder a las aplicaciones

1. En la pantalla Inicio de Windows 8 haga clic con el botón derecho del ratón sobre cualquier espacio vacío.

2. Aparecerá en pantalla un panel de comandos en el borde inferior de la pantalla. Haga clic sobre el botón **Todas las aplicaciones** en el lateral derecho del panel.

3. Utilizando la barra de desplazamiento del borde inferior de la pantalla Aplicaciones desplácese hasta localizar la aplicación que desea ejecutar y haga clic sobre su icono.

O bien:

1. En la pantalla Inicio empiece a escribir el nombre de la aplicación que desea ejecutar, por ejemplo, "WordPad". Se abrirá automáticamente la herramienta de búsqueda con la categoría Aplicaciones seleccionada.

2. En el lateral izquierdo de la pantalla, aparecerá a medida que escribimos una lista con las aplicaciones del sistema que coinciden con los criterios especificados. Haga clic sobre la aplicación deseada.

Bloc de notas

Abra la aplicación Bloc de notas utilizando cualquiera de los procedimientos descritos al principio del capítulo.

En la ventana del Bloc de notas, es posible distinguir los siguientes elementos:

- **Barra de título.** Muestra el nombre del documento de texto cargado en el Bloc de notas. Permite mover la ventana alrededor del escritorio de Windows.

- **Barra de menús.** Contiene todos los comandos disponibles en la aplicación.

- **Cursor de edición.** Una barra vertical que parpadea. Muestra la posición actual para la inserción de texto.

- **Espacio de trabajo.** Es el espacio reservado para la inserción de texto.

- **Barras de desplazamiento.** Permiten el desplazamiento a lo largo de un documento grande de de texto.

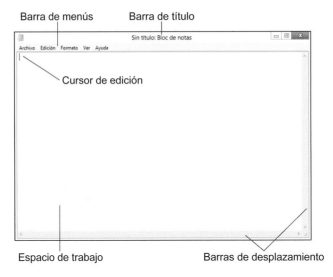

Barra de menús   Barra de título

Cursor de edición

Espacio de trabajo   Barras de desplazamiento

Para salir de la aplicación Bloc de notas:

- Haga clic sobre el botón **Cerrar** (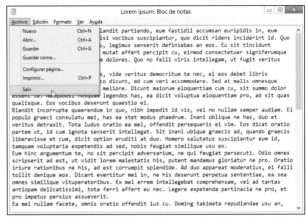) en la esquina superior derecha de la ventana de la aplicación.

- Ejecute el comando Archivo>Salir.

- Pulse la combinación de teclas **Alt-F4**.

Abrir un documento

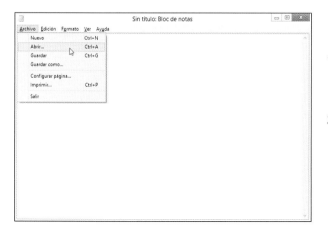

1. Abra el menú **Archivo** haciendo clic sobre su nombre o pulsando la combinación de teclas **Alt-A**.

2. Ejecute el comando **Abrir** haciendo clic sobre su nombre o pulsando la tecla **A** (o pulse la combinación de teclas **Control-A**.

3. En el cuadro de texto **Nombre** del cuadro de diálogo **Abrir**, escriba el nombre y ruta de acceso completa del archivo de texto que desea abrir.

4. Haga clic sobre el botón **Abrir** para abrir el documento.

O bien:

3. En el panel de navegación o en la barra de dirección del cuadro de diálogo **Abrir**, localice la carpeta donde se encuentra ubicado el archivo de texto que desea abrir.

4. En la lista de la zona central del cuadro de diálogo, localice el archivo que contiene el documento que desea abrir y haga doble clic sobre su nombre, o bien, selecciónelo y haga clic sobre el botón **Abrir**.

La aplicación Bloc de notas solamente permite abrir un documento de texto a la vez.

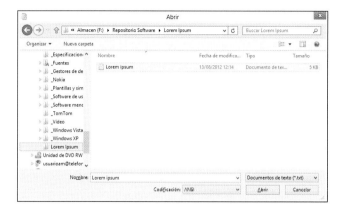

Crear un documento nuevo

1. Abra el menú **Archivo** haciendo clic sobre su nombre o pulsando la combinación de teclas **Alt-A**.

2. Ejecute el comando **Nuevo** haciendo clic sobre su nombre o pulsando la tecla **N** (o pulse directamente la combinación de teclas **Control-N**). En la ventana del Bloc de notas aparecerá un nuevo documento en blanco con el nombre "Sin título".

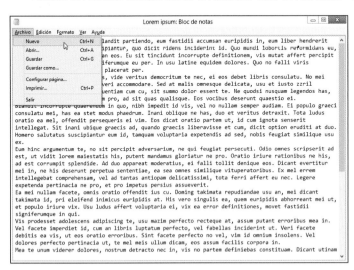

3. Dado que el Bloc de notas no permite abrir más de un documento a la vez, si al ejecutar el comando **Nuevo** existe en la aplicación algún documento abierto cuyos cambios no hayan sido guardados, aparecerá en pantalla un cuadro de mensaje que permite escoger entre tres opciones:

- **Guardar.** Para guardar los cambios realizados en el documento actual y abrir un documento nuevo.

- **No guardar.** Para abandonar los cambios del documento actual y abrir el nuevo documento.

- **Cancelar.** Para abortar la creación del nuevo documento y regresar al documento actual.

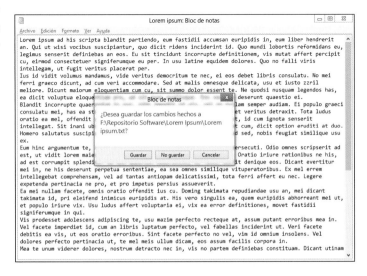

Guardar

Para guardar un documento del Bloc de notas con el mismo nombre:

1. Abra el menú Archivo haciendo clic sobre su nombre o pulsando la combinación de teclas **Alt-A**.

2. Ejecute el comando Guardar haciendo clic sobre su nombre o pulsando la tecla **G**.

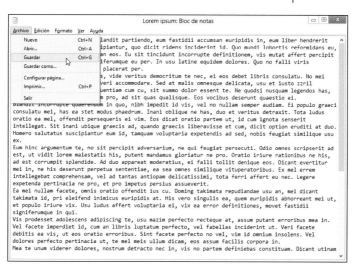

 También puede ejecutar el comando Guardar del menú Archivo pulsando la combinación de teclas **Control-G**.

Para guardar un documento con un nombre distinto o un documento que todavía no haya sido almacenado con ningún nombre:

1. Abra el menú Archivo haciendo clic sobre su nombre o pulsando la combinación de teclas **Alt-A**.

2. Ejecute el comando Guardar como haciendo clic sobre su nombre o pulsando la tecla **O**.

3. Localice la carpeta donde desea almacenar el documento.

4. En el cuadro de texto **Nombre**, especifique el nombre que desea asignar al documento.

5. Haga clic en **Guardar** para almacenar el documento.

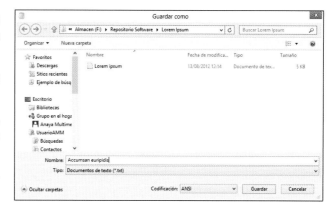

Imprimir

1. Abra el menú **Archivo** haciendo clic sobre su nombre o pulsando la combinación de teclas **Alt-A**.

2. Ejecute el comando **Configurar página** haciendo clic sobre su nombre o pulsando **C**.

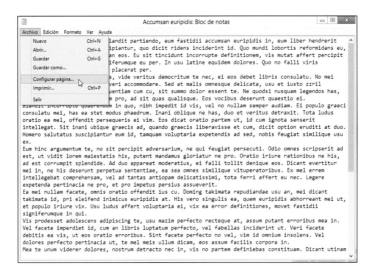

3. En la sección **Papel** del cuadro de diálogo **Configurar página**, seleccione el tipo de papel y la fuente de alimentación que desea utilizar para la impresión.

4. En la sección **Orientación**, especifique el tipo de orientación que desea dar al texto: **Vertical** u **Horizontal** (apaisada).

5. En la sección **Márgenes**, fije los márgenes del documento mediante los cuadros de texto **Izquierdo**, **Derecho**, **Superior** e **Inferior**.

6. En los cuadros de texto **Encabezado** y **Pie de página**, escriba el texto que desea utilizar para el encabezado y el pie del documento.

7. Haga clic sobre el botón **Aceptar** para regresar al documento Bloc de notas.

8. Ejecute el comando **Imprimir** del menú **Archivo** de la aplicación.

Seleccionar texto

Para seleccionar un bloque de texto en un documento Bloc de notas:

1. Sitúe el puntero del ratón al principio del bloque de texto que desea seleccionar.

2. Haga clic con el botón izquierdo del ratón y arrástrelo hasta alcanzar la posición del último carácter que desea seleccionar. El texto seleccionado, aparecerá en pantalla en vídeo inverso.

O bien:

1. Sitúe el cursor de edición al principio del bloque de texto que desea seleccionar.

2. Mantenga presionada la tecla **Mayús** mientras utiliza las teclas de dirección **Flecha dcha.** y **Flecha abajo** hasta alcanzar la posición del último carácter que desea seleccionar.

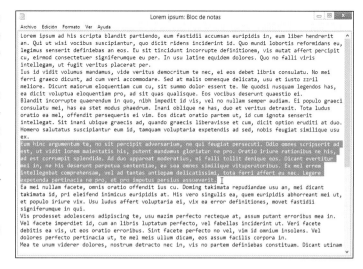

Para seleccionar una palabra en un documento Bloc de notas:

1. Sitúe el puntero del ratón sobre la palabra que desea seleccionar.

2. Haga doble clic con el botón izquierdo del ratón.

Para seleccionar todo un documento del Bloc de notas:

1. Abra el menú Edición haciendo clic sobre su nombre o pulsando la combinación de teclas **Alt-E**.

2. Ejecute a continuación el comando Seleccionar todo haciendo clic sobre su nombre o pulsando la tecla **T**.

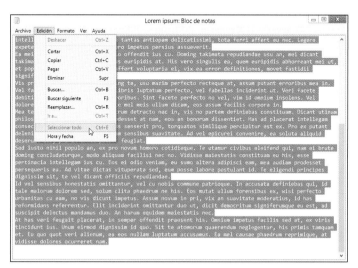

Copiar, cortar y pegar

Para copiar o cortar un bloque de texto de un documento Bloc de notas:

1. Seleccione el bloque de texto que desea copiar o cortar.

2. Ejecute los comandos Copiar (para crear una copia manteniendo el texto en su posición original) o Cortar (para crear una copia eliminando el texto de su posición original) del menú Edición.

También puede ejecutar los comandos Copiar y Cortar del menú Edición pulsando respectivamente las combinaciones de teclas **Control-C** y **Control-X**.

Para pegar un bloque de texto en el Bloc de notas:

1. Sitúe el cursor de edición en el punto donde desea pegar el bloque de texto haciendo clic sobre su posición o utilizando las teclas de dirección.

2. Ejecute el comando Pegar del menú Edición de la aplicación.

Recuerde que también puede ejecutar el comando Pegar del menú Edición pulsando la combinación de teclas **Control-V**, como en la mayoría de las aplicaciones del entorno Windows.

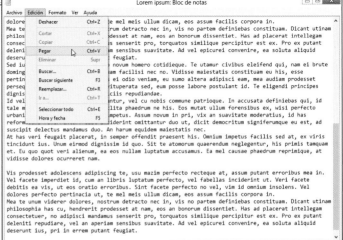

Calculadora

Abra la aplicación Calculadora utilizando cualquiera de los procedimientos descritos al principio del capítulo.

En la ventana estándar de la Calculadora es posible distinguir los siguientes elementos:

- **Barra de título.** Muestra el título de la aplicación y permite mover la ventana por el escritorio de Windows.

- **Barra de menús.** Contiene todos los comandos disponibles en la aplicación.

- **Display.** Muestra el contenido de los datos introducidos en la Calculadora.

- **Botones de memoria.** Permiten almacenar y recuperar números de la memoria de la Calculadora.

- **Botones de corrección.** Permiten realizar correcciones en los datos introducidos en la Calculadora.

- **Botones de operación.** Permiten introducir números y realizar operaciones matemáticas con la Calculadora.

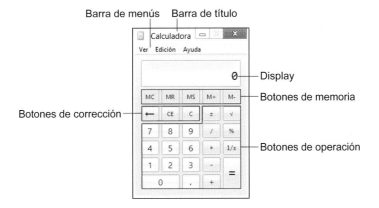

Para cerrar la calculadora:

- Haga clic sobre el botón **Cerrar**  situado en la esquina superior derecha de la aplicación.

- Pulse la combinación de teclas **Alt-F4**.

Tipos de calculadoras

- Calculadora estándar (ejecute el comando **Ver>Estándar**). Incluye operaciones básicas de suma, resta, multiplicación y división, raíz cuadrada, porcentajes, inversión ($1/x$) y trabajo estándar con valores almacenados en la memoria.

- Calculadora científica (ejecute el comando **Ver>Científica**). Además de las operaciones básicas de suma, resta, multiplicación y división, raíz cuadrada, porcentajes, inversión ($1/x$) y trabajo estándar con valores almacenados en la memoria, incluye trabajo con distintos sistemas de numeración (sexagesimal, radianes y sistema centesimal), utilización de paréntesis para expresiones complejas, funciones trigonométricas, exponenciación, logaritmos, factoriales, etc.

- Calculadora para programadores (ejecute el comando **Ver>Programador**). Además de las funciones básicas de la calculadora estándar, incluye la posibilidad de trabajar en formatos hexadecimal, decimal, octal y binario, el empleo de tipos de datos Qword, Dword, Word y Byte y la utilización de funciones habituales para el trabajo con cifras binarias (negación, Y, O, O exclusivo binarios, desplazamiento a derecha o izquierda, etc.)

- Calculadora para estadísticas (ejecute el comando **Ver>Estadísticas**). Además de las operaciones básicas de la calculadora estándar, incluye diversas funciones estadísticas (cálculo de promedios, suma de valores, suma de cuadrados de valores, desviación estándar, desviación estándar de la población, etc.)

Junto a cada uno de los tipos de calculadoras disponibles en la aplicación, es posible acceder también a varios complementos que facilitan la realización de cálculos y operaciones habituales. Todas estas opciones se encuentran también reflejadas dentro del menú **Ver** de la aplicación:

- **Básicas.** Cuando está activada esta opción, se muestra la calculadora básica del tipo que se haya seleccionado en cada momento (estándar, científica, para programadores o de estadísticas), sin complemento alguno.

- **Conversión de unidades.** Incluye una amplia variedad de conversiones habituales de ángulos, áreas, energía, fecha y hora, longitud, peso y masa, etc.

- **Cálculo de fecha.** Pensada para realizar cálculos con fechas (calcular la diferencia entre dos fechas o sumar o restar días a una fecha concreta).

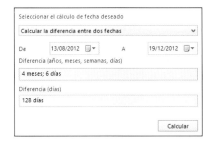

- **Hojas de cálculo.** Incluye varios cálculos habituales en hojas de cálculo:

- **Hipoteca.** Diferentes tipos de cálculos para hipotecas basados en los pagos mensuales, el precio de compra, el pago inicial, el plazo en años y la tasa de interés.

- **Alquiler de vehículos.** Diferentes tipos de cálculos para compra por *leasing* de vehículos basados en pagos periódicos, valor del alquiler, período de alquiler, pagos por año, valor residual y tasa de interés.

- **Consumo de combustible (mpg)** y **Consumo de combustible (L/100 km).** Cálculos de consumo de combustible en galones por milla y litros por cada 100 kilómetros basados en datos de consumo, distancia y combustible empleado.

Finalmente, otras dos opciones de interés disponibles dentro del menú **Ver** de la aplicación son:

- **Historial.** En la parte superior del *display* de la calculadora, muestra una lista con el histórico de las operaciones realizadas recientemente en la herramienta. Para recuperar el resultado de una operación del historial, basta con hacer clic sobre su entrada. Para acceder a las operaciones que se encuentran fuera de los límites de la lista del historial, hacer clic sobre los botones ▲ y ▼.

- **Número de dígitos en grupo.** Muestra los dígitos en la pantalla de la calculadora agrupados mediante símbolos de separación de millares.

Funciones básicas

Para escribir un número en la pantalla de la calculadora:

1. Haga clic sobre los botones numéricos disponibles en la calculadora o pulse la tecla correspondiente.

Para eliminar el último dígito de la pantalla de la calculadora:

1. Hacer clic sobre el botón **Retroceso** (←) o pulse la tecla **Retroceso**.

Para eliminar el último operando introducido:

1. Haga clic sobre el botón **CE** o pulse la tecla **Supr**.

Para borrar completamente el contenido de la calculadora:

1. Haga clic sobre el botón **C** o pulse la tecla **Esc**.

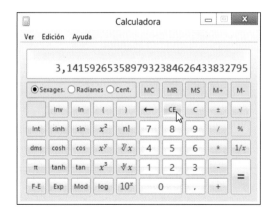

Para realizar un cálculo sencillo:

1. Escriba el primer operando.

2. Haga clic sobre los botones **+** (para sumar), **-** (para restar), ***** (para multiplicar) o **/** (para dividir) o pulse las teclas correspondientes.

3. Escriba el segundo operando.

4. Haga clic sobre el botón **=** o pulse la tecla **Intro**.

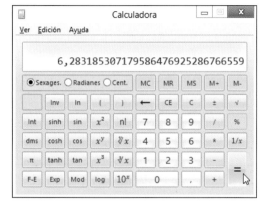

Intercambio de información

Para copiar el contenido de la pantalla de la calculadora en el Portapapeles de Windows.

1. Abra el menú Edición haciendo clic sobre su nombre o pulsando la combinación de teclas **Alt-E**.

2. Ejecute el comando Copiar haciendo clic sobre su nombre o pulsando la tecla **O**.

 También puede ejecutar el comando Copiar del menú Edición pulsando la combinación de teclas **Control-C**.

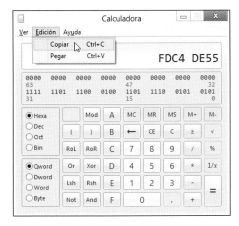

Para pegar el contenido de del Portapapeles en la pantalla de la calculadora:

1. Abra el menú Edición haciendo clic sobre su nombre o pulsando la combinación de teclas **Alt-E**.

2. Ejecute el comando Pegar haciendo clic sobre su nombre o pulsando la tecla **P**.

 También puede ejecutar el comando Pegar del menú Edición pulsando la combinación de teclas **Control-V**.

Para copiar el historial de operaciones de la calculadora, ejecutar el comando Edición>Historial>Copiar historial. El historial quedará almacenado en el Portapapeles de Windows.

Fax y Escáner de Windows

Abra la aplicación Fax y Escáner de Windows utilizando cualquiera de los procedimientos descritos al principio del capítulo.

Para crear una nueva cuenta de fax:

1. Ejecute el comando Herramientas> Cuentas de fax de la aplicación.

2. En el cuadro de diálogo Cuentas de fax, haga clic sobre el botón **Agregar**.

3. En el primer cuadro de diálogo del asistente, haga clic sobre la opción Conectarse a un módem fax.

4. Escriba un nombre para identificar la cuenta de fax, seleccione si desea o no utilizar la cuenta actual como predeterminada a la hora de enviar un fax y haga clic sobre el botón **Siguiente**.

5. Haciendo clic sobre la opción correspondiente, especifique si desea configurar la cuenta para contestar faxes automáticamente, si desea recibir una notificación siempre que haya un fax entrante o si desea iniciar la confección de un fax sin especificar esta configuración de momento.

6. En el cuadro de diálogo de alerta de seguridad de Windows, especifique los tipos de redes para los que desea activar la comunicación de fax de Windows y haga clic sobre el botón **Permitir acceso**.

7. En el cuadro de diálogo Cuentas de fax, haga clic sobre el botón **Cerrar**.

Enviar un fax

1. Para mostrar la información referente a los faxes recibidos y enviados y a las opciones de trabajo con faxes, en la ventana de Fax y Escáner de Windows, haga clic si es necesario sobre el botón **Fax** situado en el borde inferior del panel de navegación (el panel del lateral izquierdo de la aplicación).

2. En la barra de comandos, haga clic sobre el botón **Nuevo fax** para iniciar el envío de un nuevo fax.

3. Si lo desea, en la lista desplegable Portada seleccione cualquiera de las portadas predeterminadas del sistema para el fax.

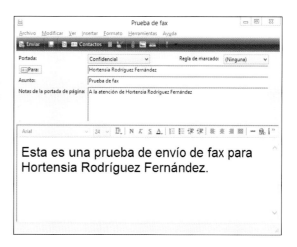

4. En el cuadro de texto Para, escriba los datos del destinatario del fax o haga clic sobre el botón del mismo nombre para localizarlos entre los destinatarios de faxes disponibles. Para crear un nuevo destinatario, haga clic sobre el botón **Nuevo contacto** del cuadro de diálogo Seleccionar destinatarios, escriba la información pertinente del destinatario en el cuadro de diálogo de propiedades correspondiente y haga clic sobre el botón **Aceptar**.

> Para enviar un fax a un destinatario, tendrá que especificar un número de fax en las fichas Domicilio y/o Trabajo del cuadro de diálogo de propiedades del contacto.

5. En el cuadro de texto Asunto, escriba la descripción del asunto del fax.

6. En el cuadro de texto Notas de la portada de página, escriba si procede los comentarios para la portada del fax.

7. En el cuadro de texto de la mitad inferior de la ventana Nuevo fax, escriba el contenido del fax.

9. Haga clic sobre el botón **Enviar** para enviar el fax.

Digitalizar un documento

1. En la ventana de la herramienta Fax y Escáner de Windows, haga clic sobre el botón **Nueva digitalización** de la barra de comandos.

2. Si es necesario, haga clic sobre el botón **Cambiar** para seleccionar el escáner en el que desea digitalizar el documento.

3. En la lista desplegable Perfil, seleccione el tipo de documento que desea digitalizar.

4. En las listas desplegables Origen y Tamaño del papel, seleccione el tipo de origen del escáner y el tamaño del papel del documento que desea digitalizar.

5. En los controles Formato del color, Tipo de archivo y Resolución (ppp), defina las características de la operación de digitalización.

6. Haga clic sobre el botón **Vista previa** para obtener una visión preliminar del documento a digitalizar.

7. Si es necesario, ajuste el brillo y el contraste de la imagen resultante mediante las barras deslizantes del mismo nombre del cuadro de diálogo.

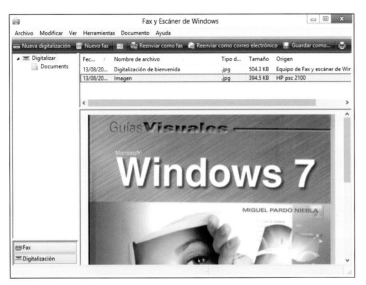

8. Ajuste el área de digitalización en la sección de muestra del cuadro de diálogo Nueva digitalización.

9. Haga clic sobre el botón **Digitalizar**.

Grabación de acciones de usuario

Abra la aplicación Grabación de acciones de usuario utilizando cualquiera de los procedimientos descritos al principio del capítulo.

En la sencilla ventana de la aplicación se pueden distinguir los siguientes elementos:

- **Barra de título.** Contiene los botones de control de la aplicación y permite desplazar la ventana por la pantalla del Escritorio de Windows.

- **Botones Iniciar grabación, Pausar grabación y Reanudar grabación.** El botón **Iniciar grabación** da comienzo a la grabación de acciones en la aplicación. Cuando se utiliza este botón se convierte en el botón **Pausar grabación** que permite detener en cualquier momento la grabación de acciones de manera temporal. Al utilizar este botón se convierte en el botón **Reanudar grabación**, que permitirá volver a reiniciar la grabación de acciones en la aplicación. Cuando se utiliza este botón se convierte nuevamente en el botón **Pausar grabación**.

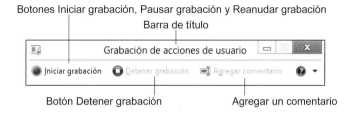

- **Detener grabación.** Cuando haya terminado de registrar sus acciones, haga clic sobre este botón para finalizar el proceso y mostrar la lista de acciones registradas.

- **Agregar un comentario.** Permite agregar un comentario a cualquier acción registrada.

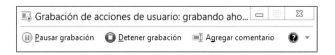

Para cerrar la aplicación Grabación de acciones de usuario.

- Haga clic sobre el botón **Cerrar** de la esquina superior derecha de la aplicación.

- Pulse la combinación de teclas **Alt-F4**.

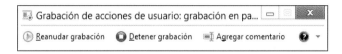

Grabación de acciones

1. Haga clic sobre el botón **Iniciar grabación**.

2. Empiece a realizar las acciones que desea registrar normalmente sobre el Escritorio de Windows. Cuando utilice el puntero del ratón, un punto de color rojo aparecerá en pantalla y se desvanecerá lentamente.

3. Para interrumpir de manera temporal en cualquier momento la grabación de acciones haga clic sobre el botón **Pausar grabación**. Después, cuando desee continuar nuevamente la grabación, haga clic sobre el botón **Reanudar grabación**.

4. Para añadir un comentario a una acción, haga clic sobre el botón **Agregar comentario**. Con el puntero del ratón seleccione la zona de la pantalla a la que se refiere el comentario que desea realizar. Haga clic sobre cualquiera de las esquinas de dicha zona y, manteniendo presionado el botón izquierdo del ratón, arrástrelo hasta la esquina opuesta. Escriba su comentario en el cuadro de texto central del cuadro de diálogo Resaltar área y comentar y haga clic sobre el botón **Aceptar**.

5. Cuando haya finalizado la grabación de acciones, haga clic sobre el botón **Detener grabación**. Aparecerá una ventana con una lista explicada de todas las acciones realizadas.

6. Haga clic sobre el botón **Guardar** para almacenar en disco la lista de acciones o sobre el botón **Correo electrónico** para enviar la lista de acciones mediante un mensaje de correo electrónico.

Grabadora de sonidos

Abra la aplicación Grabadora de sonidos utilizando cualquiera de los procedimientos descritos al principio del capítulo.

Si no existe en el sistema ningún dispositivo de grabación (como por ejemplo un micrófono), un cuadro de mensaje nos advertirá de tal circunstancia y al hacer clic sobre el botón **Aceptar** se abrirá el cuadro de diálogo Sonido para que seleccionemos un dispositivo en la ficha Grabar. Conecte un dispositivo de grabación al ordenador y haga clic sobre el botón **Aceptar**.

En la ventana de la aplicación Grabadora de sonidos, se pueden observar los siguientes elementos:

- **Control de la grabación.** Permite iniciar, detener o reanudar la grabación.

- **Duración.** Muestra el tiempo de duración total de la grabación actual.

- **Volumen.** Indica de forma gráfica el volumen de la grabación actual.

- **Ayuda.** Muestra la ayuda de la aplicación.

Para cerrar la Grabadora de sonidos:

- Haga clic sobre el botón **Cerrar** x en la esquina superior derecha de la aplicación.

- Pulse la combinación de teclas **Alt-F4**.

Realizar una grabación

Para iniciar la grabación de un nuevo archivo de sonido:

1. En la ventana de la Grabadora de sonidos, haga clic sobre el botón **Iniciar grabación** situado en el extremo izquierdo de la ventana.

2. Utilice el micrófono para realizar la grabación del archivo de sonido.

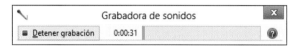

Para detener la grabación de un archivo de sonido:

1. Haga clic sobre el botón **Detener grabación**.

2. Localice la carpeta donde se desea almacenar el nuevo archivo de sonido mediante el panel de navegación del cuadro de diálogo.

3. A continuación, en el cuadro de texto Nombre, escriba el nombre que desea asignar al archivo de sonido.

4. Haga clic sobre el botón **Guardar**.

Para especificar un intérprete y un nombre de álbum para el nuevo archivo de sonido, haga clic sobre los vínculos correspondientes en el borde inferior del cuadro de diálogo Guardar como.

Si hace clic sobre el botón **Cancelar** en el cuadro de diálogo Guardar como, la grabación actual quedará temporalmente interrumpida, pudiendo reanudarla en cualquier momento haciendo clic sobre el botón **Reanudar grabación**.

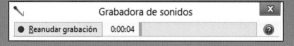

Creación de notas rápidas

Para crear una nueva nota rápida en el escritorio de Windows 8 abra la aplicación utilizando cualquiera de los métodos descritos al principio del capítulo.

En una nota de Windows 8 es posible distinguir los siguientes elementos:

- **Barra de título.** Sirve para mover la nota por el escritorio de Windows.

- **Cuerpo de la nota.** Es el lugar donde se escribe el texto de la nota.

- **Icono Nueva nota (+).** Al hacer clic sobre este icono se crea automáticamente una nueva nota con las características de color de la nota actual.

- **Icono Eliminar nota (×).** Al hacer clic sobre este icono, se puede eliminar la nota.

El resto de las opciones disponibles en Notas rápidas se controlan desde su menú contextual, que aparecerá cuando haga clic con el botón derecho del ratón sobre la superficie del cuerpo de la nota (no sobre su barra de título).

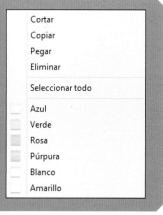

Las notas permanecen situadas sobre el escritorio de Windows hasta que se cierran. Al apagar el sistema, reiniciarlo o cerrar la sesión de trabajo, las notas no se pierden. Volverán a aparecer automáticamente la próxima vez que el usuario inicie una sesión en el equipo.

Editar y borrar notas

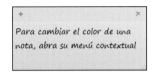

Para escribir texto en una nota:

1. Haga clic sobre el área de trabajo de la nota.

2. Utilice las técnicas de edición habituales, pulsando la tecla **Intro** para crear una nueva línea, la tecla **Retroceso** para borrar el carácter situado a la izquierda del cursor de edición, la tecla **Supr** para borrar el carácter de la derecha, etc.

Puede cambiar la alineación del texto colocando el cursor de edición en el lugar deseado y pulsando las combinaciones de teclas **Control-L** (para alinear el texto a la izquierda), **Control-E** (para centrarlo) o **Control-R** (para alinearlo a la derecha).

Alineación izquierda

Alineación centrada

Alineación derecha

Para cambiar de color una nota:

1. Haga clic con el botón derecho del ratón sobre el cuerpo de la nota (no sobre su barra de título).

2. En el menú contextual, elija el color deseado para la nota haciendo clic sobre su nombre.

Para borrar una nota:

1. Haga clic sobre el botón **Eliminar nota** (×).

2. En el cuadro de diálogo Notas rápidas, haga clic sobre el botón **Sí** para eliminar la nota.

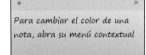

Para eliminar las notas rápidas sin que el sistema pida confirmación, active la casilla de verificación No volver a mostrar este mensaje del cuadro de diálogo Notas rápidas.

Paint

Para abrir la ventana de Paint, siga cualquiera de los procedimientos descritos al inicio del capítulo.

En la ventana de Paint es posible distinguir los siguientes elementos:

- **Barra de herramientas de acceso rápido.** Una barra de herramientas con las funciones más habituales de la aplicación.

- **Botón de Paint.** Contiene las funciones de administración habituales del programa.

- **Cinta de opciones.** Muestra las funciones disponibles en el programa.

- **Fichas.** Engloban las distintas categorías de funciones de Paint. Haciendo clic sobre cada ficha, aparecen sobre la cinta de opciones funciones diferentes.

- **Grupos.** Agrupan funciones similares dentro de la cinta de opciones.

- **Área de dibujo.** Es la hoja de papel donde se desarrollan los dibujos de Paint.

- **Zoom.** Permite controlar el nivel de ampliación del dibujo.

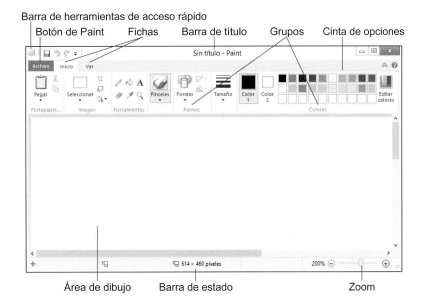

Para cerrar la ventana de Paint:

- Haga clic sobre el botón **Cerrar** situado en la esquina superior derecha de la ventana.

- Abra el menú de Paint haciendo clic sobre la ficha Archivo y ejecute el comando Salir.

- Pulse la combinación de teclas **Alt-F4**.

Abrir un dibujo existente

1. Haga clic sobre la ficha Archivo, situada en la esquina superior izquierda de la ventana de aplicación (debajo del icono del menú de control).

2. Ejecute el comando Abrir haciendo clic sobre su nombre o pulsando la tecla **A**.

3. En el cuadro de texto Nombre del cuadro de diálogo Abrir, escriba el nombre y la ruta de acceso completa del dibujo que desea abrir.

4. Haga clic sobre el botón **Abrir** para abrir el documento.

O bien:

3. En la lista desplegable de la esquina inferior derecha del cuadro de diálogo Abrir, seleccione el formato del archivo que desea abrir (JPEG, GIF, TIFF, PNG, etc.)

4. En el panel de navegación del cuadro de diálogo, seleccione la carpeta donde se encuentra ubicado el dibujo que desea abrir.

5. En la lista que ocupa la zona central del cuadro de diálogo, localice el archivo que contiene el documento que desea abrir y haga doble clic sobre su nombre, o bien, selecciónelo y haga clic sobre el botón **Abrir**.

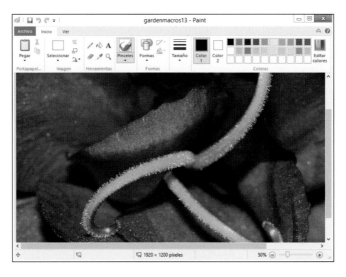

Dibujo nuevo

1. Haga clic sobre la ficha **Archivo**, situada en la esquina superior izquierda de la ventana de aplicación (debajo del icono del menú de control).

2. Ejecute el comando **Nuevo** haciendo clic sobre su nombre o pulsando la tecla **N**. En la ventana de Paint aparecerá un nuevo documento en blanco con el nombre "Sin título".

3. Dado que Paint no permite abrir más de un documento a la vez, si al ejecutar el comando **Nuevo** existe algún cambio que todavía no haya sido guardado, aparecerá en pantalla un cuadro de mensaje que le permitirá escoger entre tres opciones:

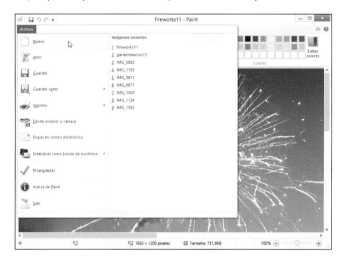

- **Guardar.** Para guardar los cambios realizados en el documento actual y abrir un documento nuevo.

- **No guardar.** Para abandonar los cambios del documento actual y abrir el nuevo documento.

- **Cancelar.** Para abortar la creación del nuevo documento y regresar al documento actual.

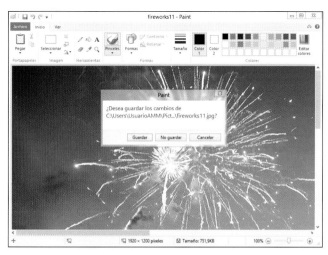

Guardar

Para guardar un documento de Paint con el mismo nombre:

1. Haga clic sobre el botón **Guardar** de la barra de herramientas de acceso rápido (o pulse la combinación de teclas **Control-G**).

O bien:

1. Haga clic sobre la ficha Archivo, situada en la esquina superior izquierda de la ventana de aplicación (debajo del icono del menú de control).

2. Ejecute el comando Guardar haciendo clic sobre su nombre o pulsando la tecla **G**.

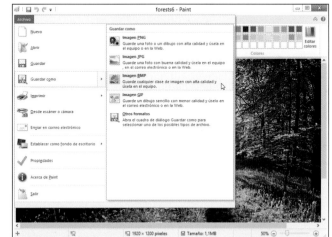

Para guardar un documento con un nombre distinto o un documento que todavía no haya sido almacenado con ningún nombre:

1. Haga clic sobre la ficha Archivo,
   situada en la esquina superior izquierda de la ventana de aplicación (debajo del icono del menú de control).

2. Despliegue el submenú Guardar como situando el puntero del ratón sobre su nombre o pulsando la tecla **M**.

3. Haga clic sobre la opción correspondiente al tipo de formato que se desee utilizar para almacenar el dibujo (Imagen PNG, Imagen JPG, Imagen BMP, etc.).

4. En el panel de navegación del cuadro de diálogo Guardar como, seleccione la carpeta o unidad de disco donde desea almacenar el dibujo.

5. En el cuadro de texto Nombre, especifique el nombre que desea asignar al dibujo.

6. Haga clic sobre el botón **Guardar** para guardar el documento.

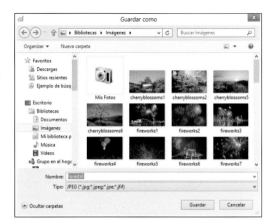

Selección

1. Despliegue el menú del botón **Seleccionar** del grupo Imagen de la ficha Inicio de la Cinta de opciones.

2. En la sección Formas de selección, seleccione el tipo de herramienta de selección que desea emplear: Selección rectangular o Selección de forma libre.

3. Si lo desea, repita el proceso para activar o desactivar el comando Selección transparente de la sección Opciones de selección para definir el comportamiento de la herramienta de selección escogida.

Para seleccionar un fragmento de imagen rectangular:

1. Sitúe el puntero del ratón sobre el área de trabajo de la aplicación, en cualquiera de las esquinas del rectángulo de selección.

2. Haga clic con el botón izquierdo del ratón y arrástrelo hasta la esquina opuesta del rectángulo de selección.

3. Suelte el botón del ratón.

Para seleccionar un fragmento de imagen irregular:

1. Sitúe el puntero del ratón sobre el área de trabajo de la aplicación, en el punto donde desee comenzar la selección.

2. Haga clic con el botón izquierdo del ratón y arrástrelo siguiendo el contorno de la selección que desee realizar.

3. Suelte el botón del ratón.

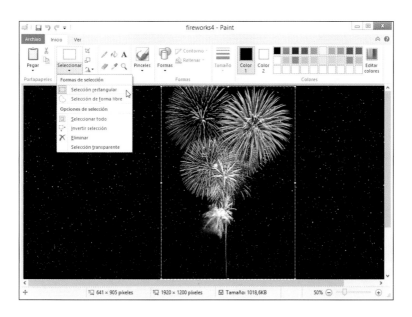

Copiar y cortar

Para copiar un fragmento de imagen de un documento Paint:

1. Seleccione el fragmento de imagen que desea copiar.

2. Haga clic sobre el botón **Copiar** 🗐 del grupo Portapapeles de la ficha Inicio de la Cinta de opciones.

 También puede ejecutar la acción del botón **Copiar** pulsando la combinación de teclas **Control-C**.

Para cortar un fragmento de imagen de un documento Paint:

1. Seleccione el fragmento de imagen que desea cortar.

2. Haga clic a continuación sobre el botón **Cortar** ✂ del grupo Portapapeles de la ficha Inicio de la Cinta de opciones.

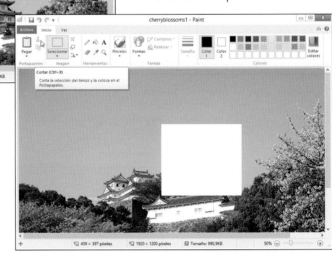

 También puede ejecutar la acción del botón **Cortar** pulsando la combinación de teclas **Control-X**.

Pegar y eliminar

Para pegar un fragmento de imagen en un documento Paint:

1. Despliegue el menú del botón **Pegar** del grupo Portapapeles de la ficha Inicio de la Cinta de opciones.

2. Ejecutar el comando Pegar haciendo clic sobre su nombre.

O bien:

2. Ejecute el comando Pegar desde y, en el cuadro de diálogo del mismo nombre, seleccionar el archivo que contiene la imagen que desea pegar

3. Haga clic sobre el fragmento de imagen pegado y arrástrelo hacia su nueva posición.

> También puede ejecutar la acción comando Pegar pulsando la combinación de teclas **Control-V**.

Para borrar un fragmento de imagen de un documento Paint:

1. Seleccione el fragmento de imagen que se desea eliminar.

2. Despliegue el menú del botón **Seleccionar** del grupo Imagen de la ficha Inicio.

3. Ejecute el comando Eliminar haciendo clic sobre su nombre o pulsando la tecla **E**.

> Como sucede en otras aplicaciones, puede ejecutar el comando Eliminar pulsando la tecla **Supr**.

Línea

1. Seleccione la herramienta **Línea** () en el panel desplegable del botón **Formas** del grupo Formas de la ficha Inicio de la Cinta de opciones.

2. Seleccione el tipo de contorno para la línea en la lista desplegable Contorno del grupo Formas.

3. Seleccione el ancho de línea deseado en el menú desplegable del botón **Tamaño** de la ficha Inicio.

4. Seleccione el color de la línea haciendo clic sobre el botón **Color 1** del grupo Colores de la ficha Inicio y luego sobre el color deseado en la paleta de colores de dicho grupo.

5. Sitúe el puntero del ratón sobre el área de trabajo de la aplicación, en cualquiera de los extremos de la línea que desea dibujar.

6. Haga clic con el botón izquierdo del ratón y arrástrelo hasta el extremo opuesto de la línea que desea dibujar.

7. Suelte el botón del ratón.

> Puede crear una línea recta manteniendo presionada la tecla **Mayús**.

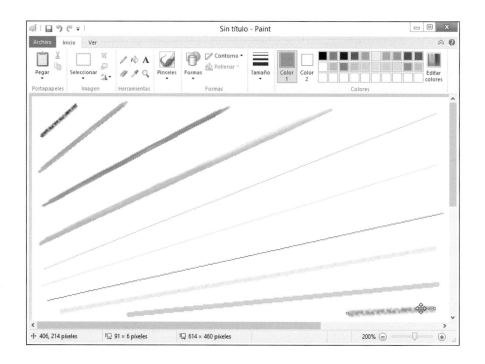

Rectángulo y Rectángulo redondeado

1. Seleccione las herramientas **Rectángulo** (▭) o **Rectángulo redondeado** (▢) haciendo clic sobre sus botones en el panel del botón **Formas** del grupo del mismo nombre de la ficha Inicio de la cinta de opciones.

2. Seleccione el tipo de contorno para la forma en la lista desplegable **Contorno** del grupo Formas.

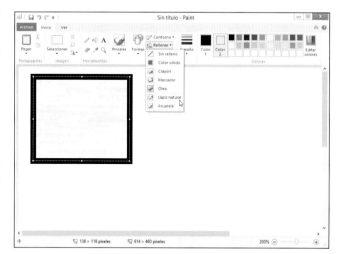

3. Seleccione el tipo de relleno en la lista desplegable **Rellenar** del grupo Formas.

4. Seleccione el grosor del contorno de la forma en el menú desplegable del botón **Tamaño** de la ficha Inicio.

5. Seleccione el color de contorno haciendo clic sobre el botón **Color 1** del grupo Colores de la ficha Inicio y luego sobre el color deseado en la paleta de colores de dicho grupo.

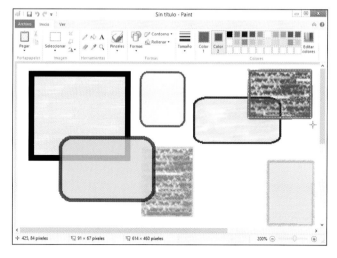

6. Seleccione el color de relleno haciendo clic sobre el botón **Color 2** del grupo Colores de la ficha Inicio y luego sobre el color deseado en la paleta de colores de dicho grupo.

7. Sitúe el puntero del ratón sobre el área de trabajo de la aplicación, en cualquiera de las esquinas del rectángulo que desea dibujar.

8. Haga clic con el botón izquierdo del ratón y arrástrelo hasta la esquina opuesta del rectángulo que desea dibujar.

9. Suelte el botón del ratón.

Puede crear un cuadrado perfecto manteniendo presionada la tecla **Mayús**.

Relleno con color

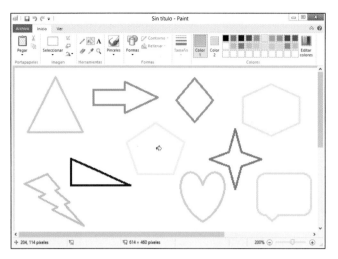

1. Seleccione en primer lugar la herramienta **Relleno con color** () haciendo clic sobre su botón en el grupo **Herramientas** de la ficha **Inicio**.

2. Seleccione el color de relleno activando el botón **Color 1** del grupo **Colores** y haciendo clic a continuación sobre el color deseado en la paleta de colores del mismo grupo.

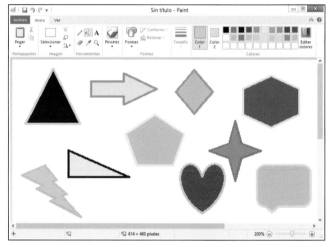

3. Sitúe el puntero del ratón sobre el área de trabajo de la aplicación, en cualquier punto de la superficie que desea rellenar.

4. Haga clic con el botón izquierdo del ratón.

Para rellenar una forma con el color del botón **Color 2** del grupo **Colores** de la ficha **Inicio**, haga clic con el botón derecho del ratón.

Si el resultado no es el esperado, puede hacer clic sobre el botón **Deshacer** (🔄) de la barra de herramientas de acceso rápido o pulsar la combinación de teclas **Control-Z**.

Lápiz y pincel

1. Seleccione la herramienta **Lápiz** (✎) haciendo clic sobre su botón en el grupo **Herramientas** de la ficha Inicio de la Cinta de opciones o cualquiera de las herramientas de pincel del menú desplegable del botón **Pinceles**.

2. Seleccione el ancho deseado del trazo en el menú desplegable del botón **Tamaño** de la ficha Inicio.

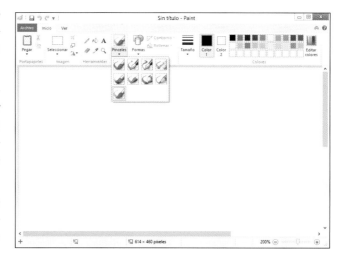

3. Seleccione el color del trazo haciendo clic sobre el botón **Color 1** del grupo Colores de la ficha Inicio y luego sobre el color deseado en la paleta de colores de dicho grupo.

4. Sitúe el puntero del ratón sobre el área de trabajo de la aplicación, en el punto donde se desee comenzar el dibujo.

5. Haga clic con el botón izquierdo del ratón y arrástrelo siguiendo el contorno del dibujo que desee realizar.

6. Suelte el botón del ratón.

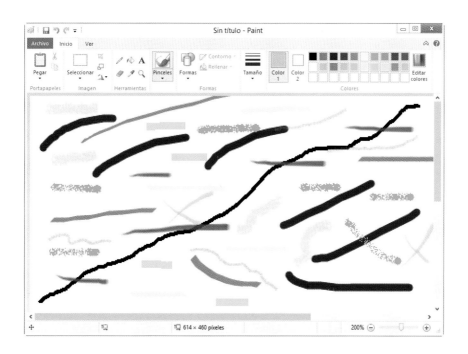

Borrador y Selector de color

1. Seleccione la herramienta **Borrador** (✎) haciendo clic sobre su botón en el grupo Herramientas de la ficha Inicio de la Cinta de opciones.

2. Seleccione el tamaño del borrador en el menú desplegable del botón **Tamaño** de la ficha Inicio.

3. Seleccione el color de fondo haciendo clic sobre el botón **Color 2** del grupo Colores de la ficha Inicio y luego sobre el color deseado en la paleta de colores de dicho grupo.

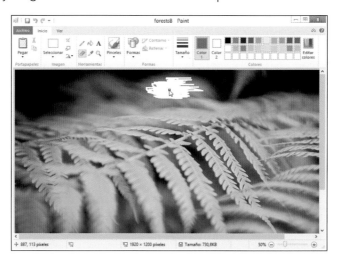

Para seleccionar cualquiera de los colores disponibles en un dibujo de Paint:

1. Seleccione la herramienta **Selector de color** (✎) haciendo clic sobre su botón en el grupo Herramientas de la ficha Inicio de la Cinta de opciones.

2. Sitúe el puntero del ratón sobre el dibujo en la zona con el color que desea seleccionar.

3. Haga clic con el botón izquierdo del ratón para seleccionar el color como color de primer plano (**Color 1**) o con el botón derecho para seleccionar el color como color de fondo (**Color 2**).

Imprimir

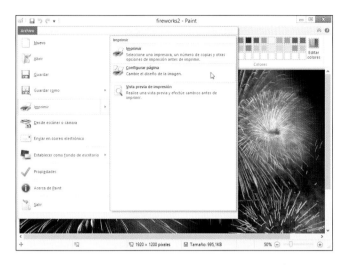

1. Haga clic sobre la ficha **Archivo**, situada en la esquina superior izquierda de la ventana de aplicación (debajo del icono del menú de control).

2. Despliegue el submenú **Imprimir** situando el puntero del ratón sobre su nombre.

3. Ejecute el comando **Configurar página** haciendo clic sobre su nombre o pulsando la tecla **C**.

4. En la sección **Papel** del cuadro de diálogo **Configurar página**, seleccione el tipo de papel y la fuente de alimentación que desea utilizar para la impresión.

5. En la sección **Orientación**, especifique el tipo de orientación del dibujo: **Vertical** u **Horizontal** (apaisada).

6. En la sección **Márgenes**, fije los márgenes del documento mediante los cuadros de texto **Izquierdo**, **Derecho**, **Superior** e **Inferior**.

7. En la sección **Centrado**, especifique la alineación de la imagen en la página impresa.

8. En la sección **Escala**, defina la proporción que debe tener la imagen para encajar en la página impresa.

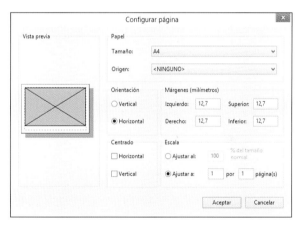

9. Haga clic sobre **Aceptar** para regresar al documento Paint.

10. Abra nuevamente el menú de la ficha **Archivo**, despliegue el submenú **Imprimir** y ejecute el comando **Imprimir**.

11. En el cuadro de diálogo **Imprimir**, seleccione la impresora, el intervalo de páginas y el número de copias que desean realizar y haga clic sobre el botón **Imprimir**.

Panel de entrada matemática

Ejecute la aplicación Panel de entrada matemática utilizando cualquiera de los métodos descritos al principio de este capítulo.

En la ventana de la aplicación, se pueden distinguir los siguientes elementos:

- **Barra de menús.** Controla las opciones disponibles en la aplicación.

- **Interpretación de la entrada matemática.** En esta zona se muestra la interpretación del programa de los símbolos que vamos introduciendo en el área de trabajo.

- **Área de trabajo.** Es la zona donde dibujaremos la expresión matemática deseada.

- **Panel de comandos.** Incluye botones con las tareas más frecuentes que se pueden realizar sobre el programa.

- **Botón Insertar**. Inserta la expresión actual en el Portapapeles de Windows y deja la herramienta lista para introducir una nueva expresión.

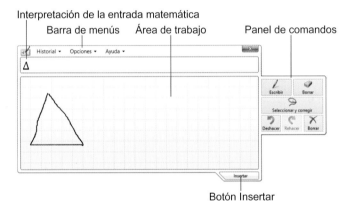

Para escribir un símbolo matemático en la aplicación:

1. Si es necesario, haga clic sobre el botón **Escribir** en el panel de comandos.

2. Sitúe el puntero del ratón sobre la superficie de la herramienta, haga clic y desplace el ratón hasta dibujar la forma deseada.

3. Suelte el botón del ratón.

Para borrar un símbolo:

- Haga clic sobre el botón **Borrar** del panel de comandos situado en la esquina superior derecha. Haga clic sobre el símbolo que desea borrar.

- Para borrar todos los símbolos del área de trabajo de la herramienta, haga clic sobre el botón **Borrar** de la esquina inferior derecha del panel de comandos.

- Para borrar el último símbolo dibujado, haga clic sobre el botón **Deshacer** del panel de comandos. Para recuperarlo nuevamente, haga clic sobre el botón **Rehacer**.

Editar y utilizar entradas matemáticas

Para editar o corregir un símbolo en el Panel de entradas matemática:

1. Haga clic sobre el botón **Seleccionar y corregir** del panel de comandos.

2. Haga clic con el puntero del ratón sobre la zona en la que se encuentra el símbolo que desea corregir. Aparecerá un menú contextual con diversas sugerencias para modificar el símbolo seleccionado.

3. Haga clic sobre el símbolo deseado en el menú contextual o sobre el comando Cerrar para desactivar la corrección.

O bien:

3. Dibuje nuevamente el símbolo mientras el símbolo actual aparece atenuado en color gris y se ve el mensaje "Volver a escribir".

O bien:

3. Mueva el puntero del ratón hacia uno de los laterales del rectángulo de selección del símbolo, haga clic y, manteniendo presionado el botón izquierdo del ratón, desplace el símbolo hacia su nueva posición.

Para utilizar la expresión escrita en el Panel de entrada matemática en otras aplicaciones:

1. Haga clic sobre el botón **Insertar** en la esquina inferior derecha de la ventana del Panel de entrada matemática. De esta forma, se copiará la expresión en el Portapapeles.

2. Abra la aplicación donde desee insertar la expresión del Panel de entrada matemática.

3. Ejecute el comando Pegar de la aplicación (generalmente, puede ejecutarse dicho comando con la combinación de teclas **Control-V**).

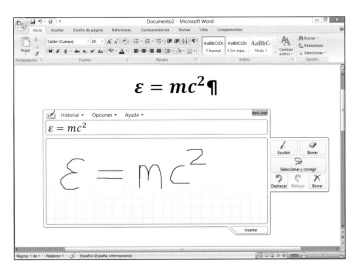

Crear un recorte

Abra la herramienta Recortes utilizando cualquiera de los procedimientos descritos al principio del capítulo.

1. En la lista desplegable del botón **Nuevo** de la aplicación, seleccione el tipo de recorte que d desea realizar: forma libre, rectangular, ventana o pantalla completa.

2. Haga clic sobre la pantalla y arrastre el ratón hasta definir la forma del recorte que desea realizar.

3. Suelte el botón del ratón.

Si opta por capturar un recorte en forma de ventana, tendrá que hacer clic sobre la ventana correspondiente y si opta por una captura a pantalla completa no tendrá que hacer nada más que ejecutar el comando.

Editar un recorte

1. Despliegue el menú del botón **Lápiz** de la ventana de Recortes y seleccione el tipo de lapicero con el que se desean realizar anotaciones en la imagen. Para personalizar el color y el grosor del lápiz, ejecute el comando Personalizar.

 La lista desplegable Sugerencia correspondiente al cuadro de diálogo Lápiz personalizado, define la forma del puntero del ratón mientras se está trabajando con la herramienta de lápiz.

2. Haga clic sobre la imagen de la ventana de Recortes y arrastre el ratón hasta definir la forma deseada.

3. Haga clic sobre el botón **Marcador de resaltado** para definir una marca de rotulador fosforescente sobre la imagen.

4. Haga clic y arrastre el ratón sobre la imagen para definir la forma de la marca fosforescente.

5. Para borrar cualquiera anotación en la imagen de Recortes, haga clic sobre el botón **Borrador** y, a continuación, haga clic sobre la anotación correspondiente.

Copiar un recorte

1. Una vez capturado el recorte que se desea copiar, haga clic sobre el botón **Copiar** de la ventana de Recortes.

O bien:

1. Abra el menú **Edición** de la aplicación haciendo clic sobre su nombre o pulsando la combinación de teclas **Alt-E**.

2. Ejecute el comando **Copiar** haciendo clic sobre su nombre o pulsando la tecla **C**.

También se puede ejecutar el comando **Copiar** del menú **Edición** pulsando la combinación de teclas **Control-C**.

3. Abra la aplicación donde desea colocar el recorte.

4. Ejecutar el comando **Pegar** del menú **Edición** (o similar) de la aplicación.

También se puede ejecutar el comando **Pegar** del menú **Edición** pulsando la combinación de teclas **Control-V**.

Guardar un recorte

1. En la ventana de Recortes, una vez capturado el recorte deseado, haga clic sobre el botón **Guardar recorte**.

O bien:

1. Despliegue el menú Archivo haciendo clic sobre su nombre o pulsando la combinación de teclas **Alt-A**.

2. Ejecute el comando Guardar como haciendo clic sobre su nombre o pulsando la tecla **G**.

También puede ejecutar el comando Guardar como del menú Archivo pulsando la combinación de teclas **Control-S**.

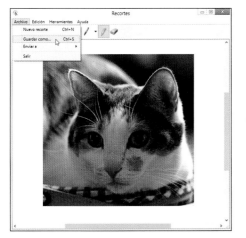

3. En el panel de navegación del cuadro de diálogo Guardar como, localice la carpeta donde desea almacenar el nuevo recorte.

4. En el cuadro de texto Nombre, especifique el nombre que desea asignar al recorte.

5. Haga clic sobre el botón **Guardar** para almacenar el recorte.

Los recortes se pueden almacenar como archivos .PNG, .GIF, .JPG o en formato HTML de un solo archivo.

Enviar un recorte por correo electrónico

1. Una vez capturado el recorte deseado, haga clic sobre el icono en forma de punta de flecha situado junto al botón **Enviar recorte** de la aplicación.

2. En el menú desplegable, haga clic sobre el comando correspondiente al tipo de envío que se desee realizar del recorte: Destinatario de correo electrónico, para incluir el recorte en el cuerpo del mensaje o Destinatario de correo electrónico (como datos adjuntos) para incluir el recorte como adjunto del mensaje.

 También puede ejecutar los comandos Destinatario de correo electrónico y Destinatario de correo electrónico (como datos adjuntos) en el submenú Enviar a del menú Archivo de la aplicación.

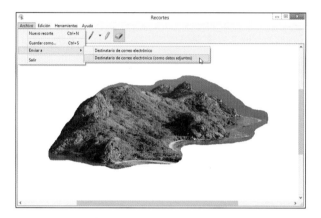

3. En los cuadros de texto **Para** y **CC** de la ventana de mensaje, escriba las direcciones de correo electrónico de los destinatarios del mensaje o bien haga clic sobre los botones correspondientes para localizar las direcciones entre los contactos disponibles.

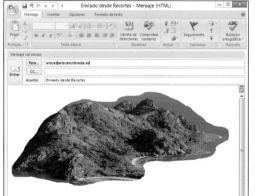

4. En el cuadro de texto **Asunto**, modifique si es necesario el texto que describe el asunto del mensaje.

5. Modifique el cuerpo del mensaje incluyendo los comentarios y anotaciones necesarias.

6. Haga clic sobre el botón **Enviar**.

Opciones

Para configurar las opciones de comportamiento de la herramienta Recortes:

1. En la ventana de Recortes, despliegue el menú **Herramientas** haciendo clic sobre su nombre o pulsando la combinación de teclas **Alt-H**.

2. Ejecute el comando **Opciones** haciendo clic sobre su nombre o pulsando la tecla **O**.

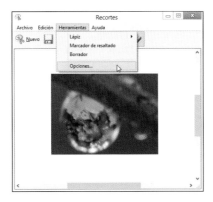

3. Seleccione las opciones de configuración que desee y haga clic sobre el botón **Aceptar**.

   - **Ocultar el texto con instrucciones.** Muestra u oculta las instrucciones de captura del programa.

   - **Siempre copiar recortes al Portapapeles.** Permite copiar la información de la captura de la aplicación Recortes en el Portapapeles de Windows.

   - **Incluir dirección URL debajo de los recortes (sólo HTML).** Cuando se almacena un recorte en formato HTML, incluye la dirección URL correspondiente.

   - **Preguntar si se desean guardar recortes antes de salir.** Si esta opción está activada, el programa preguntará si se desean guardar en disco los nuevos recortes antes de cerrar la aplicación.

   - **Mostrar superposición de pantallas cuando Recortes esté activo.** Si esta opción se encuentra activa, muestra la ventana de recortes en primer plano y el área de trabajo de la pantalla que se desea capturar en un segundo plano.

   - **Color de la entrada de lápiz.** Define el color de la tinta para las anotaciones.

   - **Mostrar entrada de lápiz de selección después de capturar recortes.** Muestra la tinta seleccionada después de capturar un recorte.

Reproductor de Windows Media

Ejecute la aplicación del Reproductor de Windows media utilizando cualquiera de los procedimientos descritos al principio del capítulo.

Si es la primera vez que ejecuta el Reproductor de Windows Media, un cuadro de diálogo le pedirá que configure la aplicación. Seleccione la opción **Configuración recomendada** en el cuadro de diálogo **Reproductor de Windows Media** para aceptar las opciones de configuración predeterminadas del programa.

Información del medio. Muestra información sobre el archivo multimedia que se está reproduciendo en cada momento: carátula, nombre del álbum, nombre del tema, clasificación, etc.

Botones Atrás y Adelante. Permiten recorrer todas las ventanas abiertas en la aplicación durante una sesión de trabajo con el Reproductor de Windows Media.

Barra de comandos. Contiene las herramientas que dan acceso a todas las funcionalidades del programa.

Bibliotecas. Muestra las diferentes bibliotecas de archivos multimedia disponibles en el ordenador.

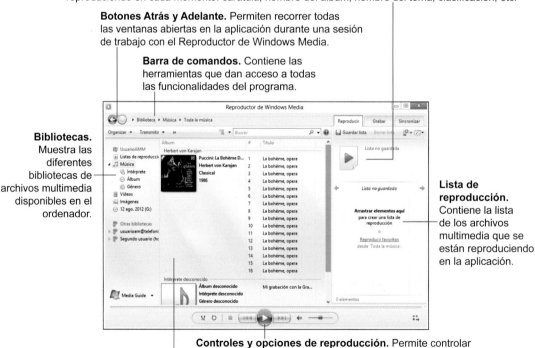

Lista de reproducción. Contiene la lista de los archivos multimedia que se están reproduciendo en la aplicación.

Controles y opciones de reproducción. Permite controlar la reproducción de los archivos multimedia (pausar, detener, avanzar y retroceder la reproducción, variar el volumen, etc.) así como otras características y criterios de reproducción.

Área de trabajo. Muestra el contenido seleccionado en cada momento.

Configuración

1. Haga clic sobre el botón **Organizar** de la barra de comandos de la aplicación y, a continuación, ejecute el comando Opciones.

2. Para establecer las configuraciones relacionadas con la forma de agregar archivos a las bibliotecas del Reproductor de Windows Media y la recuperación de información adicional de Internet, utilice las opciones de la ficha Biblioteca.

3. Para establecer la configuración de privacidad referente a la actualización de información multimedia en Internet, el programa de mejora del software, el historial de reproducciones, etc., recurra a las opciones de la ficha Privacidad.

4. Para configurar la frecuencia de actualizaciones automáticas del Reproductor de Windows Media y los comportamientos principales de la herramienta, utilice las opciones disponibles en la ficha Reproductor.

5. Para establecer las opciones de configuración de copia de música desde un CD (ubicación de los archivos copiados, formato de grabación, calidad de audio, etc.), utilice las opciones de la ficha Copiar música desde CD.

6. Para especificar las opciones de grabación de discos de audio y datos (velocidad de grabación, nivelación del volumen en pistas de audio, etc.), utilice la ficha Grabar.

7. Para configurar el rendimiento del Reproductor de Windows Media en relación a la velocidad de conexión a Internet, a la capacidad de almacenamiento del búfer de red y a las opciones de reproducción de vídeo, utilice las opciones de la ficha Rendimiento.

8. Una vez que haya completado la configuración, haga clic sobre el botón **Aceptar** para cerrar el cuadro de diálogo Opciones.

Reproducción

1. Para mostrar u ocultar la lista de reproducción actual, haga clic sobre la ficha **Reproducir** en la esquina superior derecha de la aplicación.

2. Para activar o desactivar la reproducción aleatoria de archivos de la lista de reproducción, haga clic sobre el botón **Activar/Desactivar orden aleatorio** ( ) situado junto a los botones de reproducción.

3. Para activar o desactivar la repetición automática de la lista de reproducción, hacer clic sobre el botón **Activar/Desactivar repetición** ( ) situado junto a los botones de reproducción.

4. Haga clic sobre el botón **Reproducir** situado en el borde inferior de la aplicación para iniciar la reproducción del archivo seleccionado.

5. Haga clic sobre el botón **Pausa** para interrumpir temporalmente la reproducción de la pista o archivo multimedia seleccionado.

6. Haga clic sobre el botón **Detener** para interrumpir definitivamente la reproducción de la pista o archivo multimedia.

7. Utilice los botones **Anterior** y **Siguiente** para desplazar la reproducción entre las distintas pistas o archivos disponibles. Para desplazar la posición de reproducción de la pista o archivo actual, desplace la barra deslizante situada sobre los botones de reproducción.

8. Para cambiar al modo de reproducción en curso donde se muestra solamente la carátula del álbum que se está reproduciendo, los restantes datos del audio y los controles de reproducción, haga clic sobre el botón **Cambiar a Reproducción en curso** en la esquina inferior derecha de la ventana.

Formatos de presentación

Para variar el formato de presentación del Reproductor de Windows Media:

1. Si es necesario, haga clic con el botón derecho del ratón sobre cualquier espacio vacío de la barra de comandos de la aplicación y, en el menú contextual, ejecute el comando Ver>Mostrar barra de menús (o bien, pulse la combinación de teclas **Control-M**).

2. En el menú Ver, ejecute el comando Selector de máscara.

3. En el panel izquierdo de la ventana del Reproductor de Windows Media, seleccione el tipo de presentación deseado haciendo clic sobre su nombre. El panel derecho de la ventana mostrará la representación y la información del nuevo formato del reproductor.

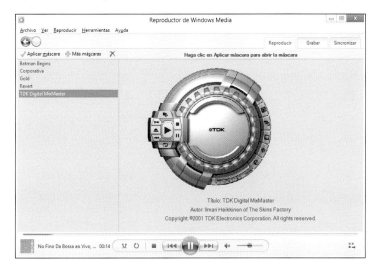

 El botón **Más máscaras** permite descargar de Internet nuevas presentaciones del Reproductor de Windows Media.

4. Para activar la nueva presentación seleccionada para el Reproductor de Windows media, haga clic sobre el botón **Aplicar máscara** situado en el extremo superior del panel izquierdo de la ventana.

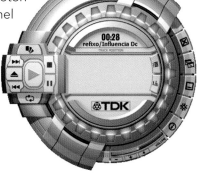

Abrir un archivo

1. Si es necesario, haga clic con el botón derecho del ratón sobre cualquier espacio vacío de la barra de comandos de la aplicación y, en el menú contextual, ejecute el comando Ver>Mostrar barra de menús.

2. Ejecute el comando Abrir del menú Archivo de la aplicación.

> También puede ejecutar el comando Abrir pulsando la combinación de teclas **Control-A**. Esta opción es imprescindible en los formatos de presentación de máscara del Reproductor de Windows Media.

3. En la lista desplegable de tipo del cuadro de diálogo Abrir (en la esquina inferior derecha), seleccione el tipo de archivo multimedia que desea abrir.

4. En el panel de navegación del lateral izquierdo del cuadro de diálogo Abrir, localice la carpeta donde se encuentra ubicado el archivo multimedia que desea reproducir en el Reproductor de Windows Media.

5. En la lista que se encuentra ubicada en la zona central del cuadro de diálogo, seleccione el archivo o grupo de archivos que desea reproducir haciendo clic sobre sus nombres.

6. Haga clic sobre el botón **Abrir**.

Administrar bibliotecas

Para definir las ubicaciones del ordenador donde se almacenan los archivos multimedia que se pueden reproducir mediante la aplicación Reproductor de Windows Media:

1. Si es necesario, haga clic con el botón derecho del ratón sobre cualquier espacio vacío de la barra de comandos de la aplicación y, en el menú contextual, ejecute el comando Ver>Mostrar barra de menús.

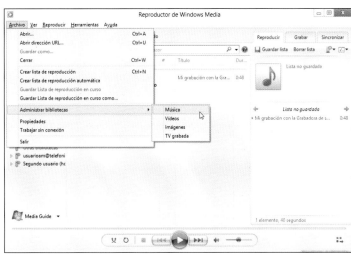

2. Despliegue el submenú Administrar bibliotecas del menú Archivo de la aplicación.

3. Ejecute el comando correspondiente al tipo de elemento multimedia que se desee configurar: Música, Vídeos, Imágenes o TV grabada.

4. En el cuadro de diálogo Ubicaciones de biblioteca Tipo de elemento multimedia, haga clic sobre el botón **Agregar** para añadir una nueva ubicación para la biblioteca del elemento correspondiente.

5. En el panel de navegación del lateral izquierdo del cuadro de diálogo Incluir carpeta en Tipo de elemento multimedia, localice la carpeta que contiene la subcarpeta que desea agregar a la lista de ubicaciones predeterminadas para el elemento multimedia seleccionado.

6. En la lista central del cuadro de diálogo, seleccione la carpeta que desea añadir a las ubicaciones del elemento multimedia seleccionado.

7. Haga clic sobre el botón **Incluir carpeta**.

8. La nueva carpeta aparecerá automáticamente en la lista de ubicaciones disponibles para el elemento multimedia. Para eliminarla de la lista, selecciónela haciendo clic sobre su superficie y haga clic sobre el botón **Quitar**.

9. Haga clic sobre el botón **Aceptar** para cerrar el cuadro de diálogo.

Trabajar con bibliotecas

1. Si es necesario, ejecute el comando Ver>Biblioteca o pulsar la combinación de teclas **Control-1** para ver el panel de bibliotecas del Reproductor de Windows Media

2. En el lateral izquierdo de la ventana de la aplicación, verá un esquema en forma de árbol de todos los elementos multimedia disponibles en la biblioteca actual, así como el nombre de otras bibliotecas disponibles en el entorno de red.

3. Para seleccionar una categoría concreta de elementos multimedia de la biblioteca del Reproductor de Windows Media, haga clic sobre su nombre en el panel izquierdo de la aplicación.

Para crear una nueva lista de reproducción:

1. Haga clic sobre la opción Listas de reproducción del panel izquierdo de la ventana del Reproductor de Windows Media.

2. Si no hay ninguna lista de reproducción disponible hasta el momento, haga clic sobre la opción Haga clic aquí del panel central de la ventana. Si ya existe alguna lista de reproducción en la biblioteca, se puede crear una nueva lista haciendo clic sobre el botón **Crear lista de reproducción** en la barra de opciones de la aplicación.

3. Escriba el nombre de la nueva lista de reproducción en la entrada que aparece debajo del epígrafe Listas de reproducción del panel izquierdo del Reproductor de Windows Media y pulse la tecla **Intro** para completar la operación.

4. Recorra las distintas categorías del panel izquierdo del Reproductor de Windows Media y arrastre los elementos multimedia que desee añadir a la lista de reproducción sobre su nombre bajo el epígrafe Lista de reproducción.

También se puede crear una lista de reproducción en la ficha Reproducir de la esquina superior derecha de la ventana del Reproductor de Windows Media:

1. Una vez seleccionada la ficha, recorra las distintas categorías del panel izquierdo del Reproductor de Windows Media y arrastre los elementos multimedia que desee añadir a la lista de reproducción sobre la ficha, en la zona etiquetada como "Arrastrar elementos aquí".

2. Una vez seleccionados todos los elementos de la lista, haga clic sobre el botón **Guardar lista** de la esquina superior izquierda de la ficha.

3. Escriba el nombre que se desea asignar a la nueva lista de reproducción en el cuadro de texto correspondiente y pulse la tecla **Intro** para validar los cambios.

Compartir bibliotecas con otros equipos de la red

1. En la barra de opciones de la ventana de bibliotecas del Reproductor de Windows Media, haga clic sobre el botón **Transmitir** para desplegar su menú.

2. Seleccione el comando correspondiente al tipo de configuración que desee realizar: Permitir el acceso a multimedia en equipos domésticos vía Internet, Permitir el control remoto de mi reproductor o Activar la transmisión por secuencias de multimedia con Grupo Hogar.

Desde la ventana Opciones de transmisión por secuencias de multimedia del Centro de redes y recursos compartidos de Windows, se pueden controlar los siguientes aspectos:

- Asignar un nombre a la biblioteca multimedia compartida desde el cuadro de texto Dé un nombre a la biblioteca multimedia.

- Seleccionar la clasificación por categorías y por control parental de los elementos que se desean compartir en la biblioteca haciendo clic sobre la opción Elegir la configuración predeterminada.

- Seleccionar la red en la que se desean localizar los dispositivos que comparten los elementos multimedia mediante la lista desplegable Mostrar dispositivos en.

- Permitir o bloquear el acceso a la biblioteca de todos los programas multimedia del equipo y todas las conexiones remotas de forma simultánea o especificar si se desea permitir o bloquear cada caso específico mediante los botones **Permitir todo**, **Bloquear todo** y la lista correspondientes.

- Especificar otras configuraciones de la transmisión por secuencias de multimedia en la red de equipos y dispositivos mediante las opciones Elegir grupo en el hogar y opciones de uso compartido, Elegir opciones de energía, Mas información acerca de la transmisión por secuencias de multimedia y Leer la declaración de privacidad en línea.

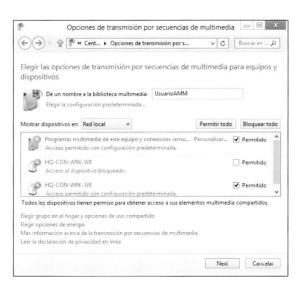

Copiar el contenido de un CD

1. Inserte el CD-ROM que se desea copiar en la unidad correspondiente.

2. En el panel de navegación de la ventana del Reproductor de Windows Media (en el lateral izquierdo), haga clic si es necesario sobre el nombre del disco para mostrar la información de sus pistas en el área de trabajo de la aplicación. Luego, active o desactive las casillas de verificación correspondientes a las pistas que desee copiar en la biblioteca del equipo.

3. Haga clic con el botón derecho del ratón sobre el nombre del disco en el panel de navegación del Reproductor de Windows Media y ejecute el comando **Copiar desde CD a biblioteca**. Se iniciará automáticamente la copia de las pistas.

Para detener en cualquier momento la copia de archivos desde el CD, haga clic con el botón derecho del ratón sobre el nombre del disco en el panel de navegación del Reproductor de Windows Media y ejecute el comando **Detener copia desde CD**.

4. Una vez finalizada la copia, las pistas seleccionadas aparecerán automáticamente ordenadas según las distintas categorías de organización del Reproductor de Windows Media.

Grabar un CD de audio

1. En el lateral derecho de la ventana del Reproductor de Windows Media, haga clic sobre la ficha **Grabar**.

2. En el panel de navegación, localice la categoría de medios o la biblioteca que contiene los archivos que desea grabar en un CD.

3. Arrastre los archivos que desea copiar hacia la sección **Lista de grabación** de la ficha, bajo el epígrafe "Arrastrar elementos aquí".

4. Inserte un soporte de grabación en la unidad correspondiente y haga clic sobre el botón **Iniciar grabación** en la esquina superior izquierda del panel. Al finalizar la grabación, el disco se expulsará automáticamente.

 En cualquier momento, puede detener la grabación del CD haciendo clic sobre el botón **Cancelar grabación** de la ventana del Reproductor de Windows Media.

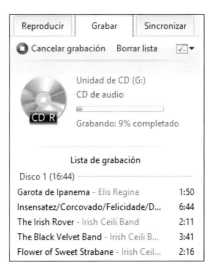

Visor de XPS

Visor de XPS es una herramienta de Windows 8 para la visualización de documentos en formato XPS, un estándar similar al formato PDF tradicional.

Abra el Visor de XPS utilizando cualquiera de las técnicas descritas al principio de este capítulo.

Para abrir un documento en el Visor de XPS:

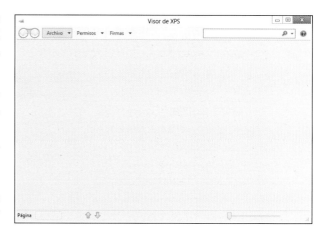

1. En la ventana de la aplicación, haga clic sobre el botón **Archivo** para abrir su menú desplegable.

2. Haga clic sobre el comando **Abrir**.

> También se puede ejecutar el comando **Archivo>Abrir** pulsando la combinación de teclas **Control-A**.

3. En el cuadro de texto **Nombre** del cuadro de diálogo **Abrir**, escriba el nombre y la ruta completa del archivo que se desea abrir.

O bien:

3. En el panel de navegación, localice la carpeta que contiene el archivo que desea abrir y seleccione dicho archivo en la lista central del cuadro de diálogo.

4. Haga clic sobre el botón **Abrir**.

Para cambiar el formato de presentación de un documento en el Visor de XPS:

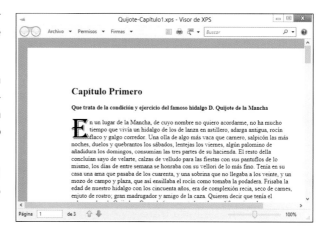

1. Haga clic sobre el icono en forma de punta de flecha situado a la derecha del botón **Elija la forma en que desea ver este documento**.

2. En el menú desplegable, ejecute el comando correspondiente al tipo de presentación que desee:

- 100% (**Control-L**). Muestra el documento a tamaño natural

- Una página (**Control-N**). Reduce el tamaño de la representación del documento hasta mostrar una página completa en la ventana de la aplicación.

- Ancho de página (**Control-W**). Ajusta el porcentaje de zoom del documento hasta hacer encajar el ancho de la página con el ancho de la ventana de la aplicación.

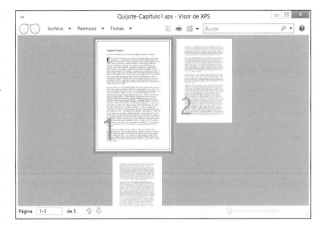

- Miniaturas (**Control-H**). Muestra representaciones en miniatura de las distintas páginas que componen el documento, ajustando su tamaño al tamaño disponible en la ventana de la aplicación.

- Pantalla completa (**F11**). Independientemente del modo de presentación elegido previamente, el modo de pantalla completa muestra el documento a pantalla completa maximizando el espacio disponible a base de eliminar la barra de título y la barra de estado de la aplicación.

Para acercar o alejar de forma personalizada el tamaño de presentación de un documento en el Visor de XPS:

1. Desplace a izquierda o derecha la barra deslizante Acercar o alejar situada en la esquina inferior derecha de la ventana o haga clic sobre su superficie. El documento cambiará su porcentaje de zoom en intervalos de 5 puntos porcentuales.

> También puede pulsar las combinaciones de teclas **Control-+** o **Control--** para acercar o alejar respectivamente el zoom del documento.

Para desplazarse entre las páginas de un documento XPS:

1. Haga clic sobre los iconos **Página anterior** (⬆) o **Página siguiente** (⬇) para avanzar o retroceder respectivamente una página.

O bien:

1. Escriba el número de página al que desea acceder en el cuadro de texto Ir a una página específica situado en la esquina inferior izquierda de la ventana de la aplicación y pulse a continuación la tecla **Intro**.

Windows Journal

Windows Journal es una aplicación ideada para realizar anotaciones de forma manual mediante el ratón o un dispositivo apuntador como un lápiz óptico.

Puede abrir la aplicación Windows Journal utilizando cualquiera de los métodos que se describen al principio de este capítulo.

En la ventana de la aplicación se pueden distinguir, entre otros, los siguientes elementos:

- **Barra de menús.** Contiene todos los comandos disponibles en la aplicación.

- **Barra de herramientas Estándar.** Incluye accesos directos a las acciones más frecuentes del programa: crear una nueva nota, ver las notas recientes, guardar una nota, importar texto en una nota, etc.

- **Barra de herramientas Lápiz.** Incluye accesos directos a las acciones de escritura más habituales en el programa: utilizar un lápiz o un marcador de resaltado, borrador, seleccionar objetos, insertar o quitar espacios e insertar marcas.

- **Título de la nota.** Es el espacio destinado para el titular de la nota.

- **Área de trabajo.** Es el espacio donde se escribe el contenido de la nota.

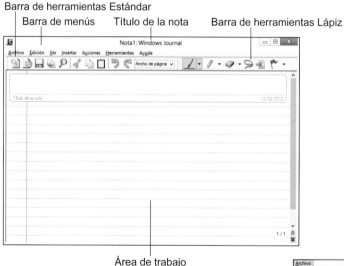

Barra de herramientas Estándar
Barra de menús   Título de la nota   Barra de herramientas Lápiz

Área de trabajo

Para salir de la aplicación Windows Journal:

- Haga clic sobre el botón **Cerrar** ▨ de la esquina superior derecha de la aplicación.

- Ejecute el comando Archivo>Salir.

- Pulse la combinación de teclas **Alt-F4**.

Creación de notas

Para crear una nueva nota en Windows Journal:

- Haga clic sobre el botón **Nueva nota** (🗐) de la barra de herramientas Estándar de la aplicación.

- Ejecute el comando Archivo>Nueva nota.

- Pulse la combinación de teclas **Control-N**.

- Ejecute el comando Archivo>Nueva nota desde plantilla. Seleccione una plantilla en la lista central del cuadro de diálogo Abrir y haga clic sobre el botón **Abrir**.

Para escribir en una nota de Windows Journal:

1. En las listas desplegables de los botones **Lápiz** (🖊️ ▾) o **Marcador de resaltado** (🖊️ ▾) de la barra de herramientas Lápiz, seleccione la herramienta con la que desea escribir y su color y grosor. Si ninguna de las opciones disponibles coincide con sus necesidades, haga clic sobre la opción Configurar para personalizar las herramientas.

2. Sitúe a continuación el puntero del ratón sobre el área de trabajo de la nota, haga clic y, manteniendo presionado el botón izquierdo, desplace el ratón hasta conseguir el trazado deseado.

3. Suelte el botón del ratón.

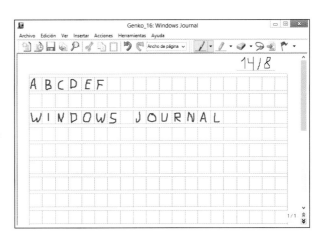

Para borrar un trazo o una zona de una nota:

1. Despliegue el menú del botón **Borrador** (⬚ ▾) de la barra de herramientas Lápiz y seleccione el grosor deseado o la opción Trazo.

2. Con el botón izquierdo presionado, arrastre el ratón por la superficie de la nota para borrar una zona de la misma o con la herramienta Trazo seleccionada, haga clic sobre cualquier trazo para eliminarlo.

Para seleccionar una zona o grupo de trazados de una nota Windows Journal:

1. Haga clic sobre **Herramienta de selección** (⬚) de la barra de herramientas Lápiz.

2. Después, haga clic sobre cualquier punto de la nota y, manteniendo presionado el botón izquierdo, arrastre el ratón hasta crear una forma que englobe los elementos que desea seleccionar.

3. Suelte el botón del ratón.

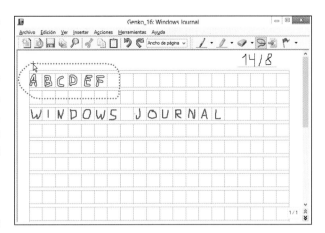

Otras opciones de creación de notas de Windows Journal son:

- **Insertar un espacio en una nota.** Seleccione el botón **Insertar o quitar espacio** (⬚) de la barra de herramientas Lápiz o ejecute el comando Insertar>Insertar o quitar espacio. Haga clic en el punto donde desee iniciar la franja de espacio adicional y, manteniendo presionado el botón, arrastre el ratón hacia abajo hasta fijar el tamaño de dicha franja. Para eliminar espacio de una nota, arrastre el ratón hacia arriba en lugar de hacia abajo.

- **Insertar un cuadro de texto.** Ejecute el comando Insertar>Cuadro de texto. Haga clic en la primera esquina del cuadro y, manteniendo presionado el botón izquierdo, arrastre el ratón hasta la esquina opuesta. Cuando suelte el botón del ratón, el cursor de edición quedará preparado para empezar a insertar texto. Una vez haya terminado de escribir, haga clic fuera del cuadro de texto para recuperar el control de la aplicación.

- **Insertar una imagen.** Ejecute el comando Insertar>Imagen. Localice la imagen que desea insertar, selecciónela y haga clic sobre el botón **Insertar** en el cuadro de diálogo Insertar Imagen. Puede redimensionar la imagen desplazando los tiradores que aparecen en las esquinas y los laterales de la imagen y reposicionarla haciendo clic y arrastrando el ratón cuando el puntero toma la forma de una flecha de cuatro puntas. Cuando haya terminado, haga clic fuera de los límites de la imagen para recuperar el control de la aplicación.

- **Insertar una marca.** En el menú del botón **Marca** (⬚ ▾) de la barra de herramientas Lápiz, seleccione el color de la marca que desea insertar. Haga clic en la posición donde desee insertar la marca.

Guardar y exportar notas

Para guardar una nota Windows Journal:

1. Haga clic sobre el botón **Guardar** (🔲) de la barra de herramientas estándar, ejecute el comando Archivo>Guardar o pulse la combinación de teclas **Control-G**.

2. En el cuadro de texto Nombre del cuadro de diálogo Guardar como, seleccione un nombre para la nota y haga clic sobre el botón **Guardar**.

La siguiente vez que haga clic sobre el botón o ejecute el comando Guardar del menú Archivo, se guardarán automáticamente los cambios realizados en la nota, sin necesidad de ninguna acción adicional. Para guardar la nota con un nombre distinto o en una ubicación diferente, deberá ejecutar el comando Archivo>Guardar como.

Para exportar una nota Windows Journal con otro formato:

1. Ejecute el comando Archivo>Exportar como.

2. En la lista desplegable Tipo del cuadro de diálogo Exportar, seleccione el formato de la nota exportada: TIFF o archivo Web `.mht` o `.mhtml`.

3. Seleccione si lo desea la ubicación donde desea almacenar la nota exportada.

4. Haga clic sobre el botón **Exportar**.

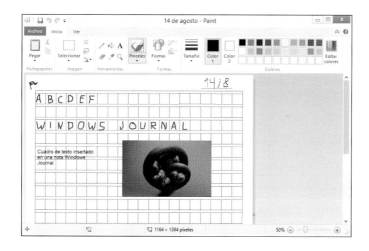

Importar contenido en una nota

1. Ejecute el comando **Archivo>Importar**.

2. Localice la ubicación donde se encuentra el archivo que desea importar y selecciónelo en la lista central del cuadro de diálogo **Importar**.

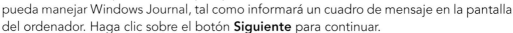

3. Haga clic sobre el botón **Importar**.

4. Los tipos de archivo por defecto que importa la aplicación son las propias notas de Windows Journal y los archivos TIFF. Si selecciona un tipo de archivo diferente, se abrirá el programa que controla dicho tipo de archivos y se imprimirá una copia que pueda manejar Windows Journal, tal como informará un cuadro de mensaje en la pantalla del ordenador. Haga clic sobre el botón **Siguiente** para continuar.

5. Completado el proceso, se abrirá una nueva nota con el contenido del archivo importado. Observe que, a menos que haya elegido como archivo de origen una nota Windows Journal, no podrá editar el contenido ya que se tratará de una imagen de mapa de bits del archivo.

Puede recorrer las distintas páginas de una nota Windows Journal haciendo clic sobre los botones **Anterior** (⊼) y **Siguiente** (⊻) de la esquina inferior derecha de la ventana de la aplicación.

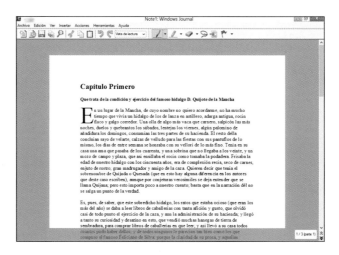

Enviar una nota por correo electrónico

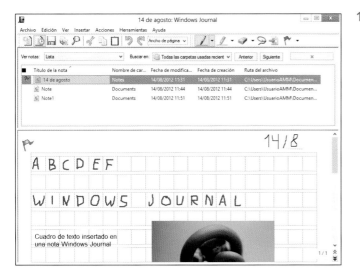

1. Abra la nota Windows Journal que desea enviar por correo electrónico. Para hacerlo, puede utilizar el cuadro de diálogo **Abrir** a través del comando **Archivo>Abrir** o, si la nota es reciente, hacer clic sobre el botón **Ver las notas recientes** de la barra de herramientas **Estándar** para abrir una lista con las últimas notas editadas en el programa. Si localiza su nota en esta lista, simplemente haga clic sobre su entrada para abrirla en el programa.

2. Ejecute el comando **Archivo>Enviar a destinatario de correo**.

3. En el cuadro de diálogo **Enviar a destinatario de correo**, seleccione el formato del archivo que se enviará por correo electrónico:

   - **Nota de Windows Journal**. El destinatario tendrá que abrir la nota con Windows Journal, pero podrá editarla.

   - **Página Web.** El destinatario no podrá editar la nota, pero podrá abrirla cono Internet Explorer.

   - **Imagen en blanco y negro.** Se enviará un archivo TIFF en blanco y negro que, por consiguiente, el destinatario no podrá editar.

4. Haga clic sobre el botón **Aceptar**.

5. Se abrirá una nueva ventana de mensaje de correo electrónico con la nota como adjunto y el nombre del archivo de nota dentro del campo **Asunto**. En el campo **Para**, escriba la dirección de correo del destinatario.

6. Si lo desea, escriba cualquier instrucción adicional dentro del cuerpo del mensaje.

7. Haga clic sobre el botón **Enviar** para enviar el mensaje.

Interpretar trazos

1. En una nota Windows Journal seleccione mediante las técnicas descritas con anterioridad un trazado o grupo de trazados que desee convertir.

2. Si el trazado o grupo de trazados es una forma geométrica, despliegue el submenú Acciones>Cambiar forma a y seleccione la forma final en la que desea convertir el trazado seleccionado: Cuadrado, Círculo o elipse o Línea.

3. Si el trazado o grupo de trazados forma un fragmento de texto, en el menú Acciones encontrará varios comandos que le facilitarán el proceso:

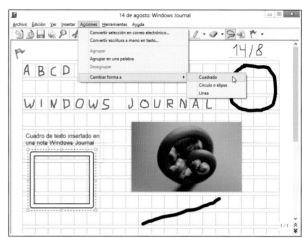

- Si selecciona varios trazados diferentes, los comandos Agrupar y Agrupar en una palabra le permiten agruparlos en uno solo.

- Cuando haya agrupado varios trazados, el comando Desagrupar del menú Acciones le permitirá volver a desagruparlos.

- Para convertir un trazado en texto, ejecute el comando Convertir escritura a mano en texto. En el cuadro de diálogo Corrección de texto, aparece la interpretación realizada por el programa bajo el epígrafe Texto convertido. Edite la interpretación como desee o escoja cualquiera de las alternativas disponibles en la lista Alternativa y haga clic sobre el botón Cambiar. El cuadro de muestra Entrada de lápiz de la nota,

le recuerda la forma del trazado que realizó sobre la nota Windows Journal. Cuando haya finalizado, haga clic sobre el botón Aceptar. En el siguiente cuadro de diálogo, seleccione la acción que desea realizar: copiar el texto en el Portapapeles de Windows o insertarlo en la misma nota de Windows Journal. Haga clic sobre el botón Finalizar para completar el proceso.

WordPad

Abra la ventana de WordPad utilizando cualquiera de los procedimientos descritos al principio de este capítulo.

En la ventana de WordPad es posible distinguir los siguientes elementos:

- **Barra de herramientas de acceso rápido.** Una barra de herramientas con las funciones más habituales de la aplicación.

- **Botón de WordPad.** Contiene las funciones de administración habituales del programa.

- **Cinta de opciones.** Muestra las funciones disponibles en el programa.

- **Fichas.** Engloban las distintas categorías de funciones de WordPad. Haciendo clic sobre cada ficha, aparecen sobre la cinta de opciones funciones diferentes.

- **Grupos.** Agrupan funciones similares dentro de la cinta de opciones.

- **Regla.** Muestra la posición de márgenes, sangrías y tabuladores.

- **Área de escritura.** Es el área destinada a escribir texto.

- **Cursor de edición.** Muestra la posición actual para la inserción de texto.

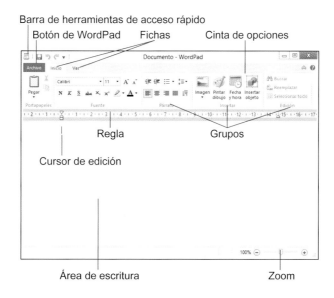

Para cerrar la ventana de WordPad:

- Haga clic sobre el botón **Cerrar** (x) de la esquina superior derecha de la ventana.

- Haga clic sobre el menú Archivo y ejecute el comando Salir.

- Pulse la combinación de teclas **Alt-F4**.

Abrir un documento existente

1. Haga clic sobre el menú **Archivo**, situado en la esquina superior izquierda de la ventana de aplicación (debajo del icono del menú de control).

2. Ejecute el comando **Abrir** haciendo clic sobre su nombre.

3. En el cuadro de texto **Nombre** del cuadro de diálogo **Abrir**, escriba el nombre y la ruta de acceso completa del dibujo que se desea abrir.

4. Haga clic sobre el botón **Abrir** para abrir el documento.

O bien:

3. En la lista desplegable de la esquina inferior derecha del cuadro de diálogo **Abrir**, seleccione el formato del archivo que se desea abrir (RTF, XML, OpenDocument, MS-DOS, etc.)

4. En el panel de navegación del cuadro de diálogo, selecione la carpeta donde se encuentra ubicado el documento que desea abrir.

5. En la lista que ocupa la zona central del cuadro de diálogo, localice el archivo que contiene el documento que desea abrir y haga doble clic sobre su nombre, o bien, selecciónelo y haga clic sobre el botón **Abrir**.

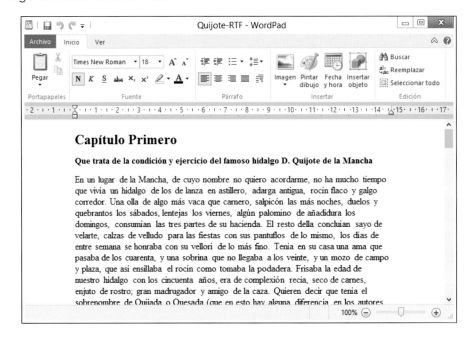

Documento nuevo

1. Haga clic sobre el menú **Archivo**, situado en la esquina superior izquierda de la ventana de aplicación (debajo del icono del menú de control).

2. Ejecute el comando **Nuevo** haciendo clic sobre su nombre. En la ventana de WordPad aparecerá un nuevo documento en blanco con el nombre "Documento".

3. Dado que WordPad no permite abrir más de un documento a la vez, si al ejecutar el comando **Nuevo** existe algún cambio que todavía no haya sido guardado, aparecerá en pantalla un cuadro de mensaje que nos permite escoger entre tres opciones:

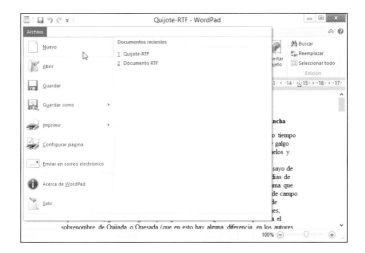

- **Guardar.** Para guardar los cambios realizados en el documento actual y abrir un documento nuevo.

- **No guardar.** Para abandonar los cambios del documento actual y abrir el nuevo documento.

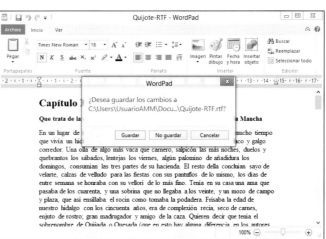

- **Cancelar.** Para abortar la creación del nuevo documento y regresar al documento actual.

Guardar

Para guardar un documento de WordPad con el mismo nombre:

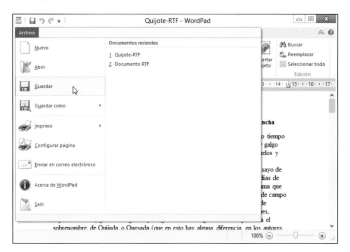

1. Haga clic sobre el botón **Guardar** (🔲) de la barra de herramientas de acceso rápido (o pulse la combinación de teclas **Control-G**).

O bien:

1. Haga clic sobre el menú Archivo, situado en la esquina superior izquierda de la ventana de aplicación (debajo del icono del menú de control).

2. Ejecute el comando Guardar haciendo clic sobre su nombre.

Para guardar un documento con un nombre distinto, en una ubicación distinta o un documento que todavía no haya sido almacenado con ningún nombre:

1. Haga clic sobre el menú Archivo, situado en la esquina superior izquierda de la ventana de aplicación (debajo del icono del menú de control).

2. Despliegue el submenú Guardar como situando el puntero del ratón sobre su nombre.

3. Haga clic sobre la opción correspondiente al tipo de formato que desee utilizar para almacenar el documento (RTF, OpenDocument, texto normal, etc.).

4. En el panel de navegación del cuadro de diálogo Guardar como, seleccione la carpeta o unidad de disco donde desea almacenar el documento.

5. En el cuadro de texto Nombre, especifique el nombre que desea asignar al documento.

6. Haga clic sobre el botón **Guardar** para guardar el documento.

Seleccionar texto

Para seleccionar un bloque de texto en un documento WordPad:

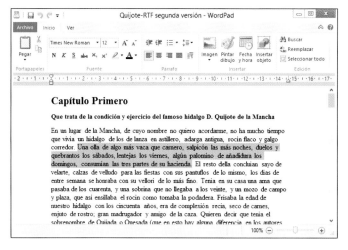

1. Sitúe el puntero del ratón al principio del bloque de texto que desea seleccionar.

2. Haga clic y, manteniendo presionado el botón izquierdo, arrastre el ratón hasta alcanzar la posición del último carácter que desea seleccionar. El texto seleccionado, aparecerá en pantalla en vídeo inverso.

O bien:

1. Sitúe el cursor de edición al principio del bloque de texto que desea seleccionar.

2. Mantenga presionada la tecla **Mayús** mientras utiliza las teclas de dirección **Flecha dcha.** y **Flecha abajo** hasta alcanzar la posición del último carácter que desea seleccionar.

Para seleccionar una palabra en un documento WordPad:

1. Sitúe el puntero del ratón sobre la palabra que desea seleccionar.

2. Haga doble clic con el botón izquierdo del ratón.

Para seleccionar una línea de texto en un documento WordPad:

1. Coloque el puntero del ratón sobre el área de selección (situada en el extremo izquierdo del documento), a la altura de la línea que desea seleccionar.

2. Haga clic con el botón izquierdo del ratón.

Para seleccionar un párrafo en un documento WordPad:

1. Coloque el puntero del ratón sobre el área de selección (situada en el extremo izquierdo del documento), a la altura del párrafo que desea seleccionar.

2. Haga doble clic con el botón izquierdo del ratón.

Copiar y cortar

Para copiar un fragmento de texto de un documento WordPad:

1. Seleccione el fragmento de texto que desea copiar.

2. En el grupo **Portapapeles** de la ficha **Inicio** de la Cinta de opciones, hacer clic sobre el botón **Copiar** (▢).

También se puede copiar un fragmento de texto pulsando la combinación de teclas **Control-C**.

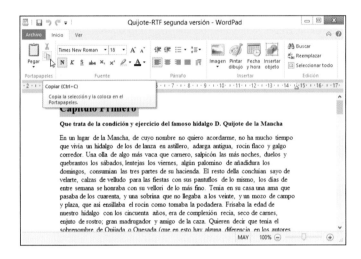

Para cortar un fragmento de texto de un documento WordPad:

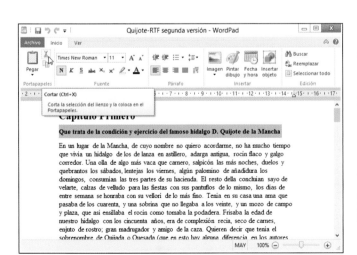

1. Seleccione el fragmento de texto que desea cortar.

2. En el grupo **Portapapeles** de la ficha **Inicio** de la Cinta de opciones, haga clic sobre el botón **Cortar** (✂).

También puede cortar un fragmento de texto pulsando la combinación de teclas **Control-X**.

Pegar y eliminar

Para pegar un fragmento de texto en un documento WordPad:

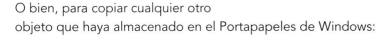

1. Sitúe el cursor de edición en el punto donde desea insertar el nuevo fragmento de texto.

2. Despliegue el menú del botón **Pegar** del grupo Portapapeles de la ficha Inicio de la Cinta de opciones.

3. Ejecute el comando Pegar haciendo clic sobre su nombre.

O bien, para copiar cualquier otro objeto que haya almacenado en el Portapapeles de Windows:

3. Ejecute el comando Pegado especial. En la lista Como del cuadro de diálogo Pegado especial, seleccione el formato del archivo que desea pegar en el documento WordPad y haga clic sobre el botón **Aceptar**.

También puede ejecutar el comando Pegar pulsando la combinación de teclas **Control-V**.

Para borrar un fragmento de texto de un documento WordPad:

1. Seleccione el texto que desea eliminar.

2. Pulse las teclas **Supr** o **Retroceso**.

3. Para borrar el carácter situado a la derecha del cursor de edición, pulse la tecla **Supr**.

4. Para borrar el carácter situado a la izquierda del cursor de edición, pulse la tecla **Retroceso**.

También se puede borrar un fragmento de texto cortándolo del documento (con el botón **Cortar** del grupo Portapapeles de la ficha Inicio de la Cinta de opciones), sin pegarlo después en ningún otro emplazamiento.

Selección de un documento

Para seleccionar todo un documento WordPad:

1. En el grupo **Edición** de la ficha **Inicio** de la Cinta de opciones, haga clic sobre el botón **Seleccionar todo**.

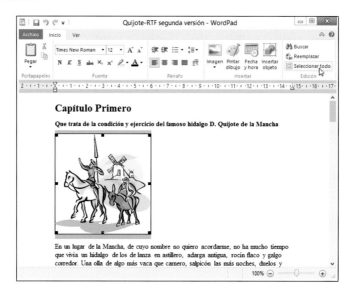

O bien:

1. Pulse la combinación de teclas **Control-E**.

O bien:

1. Coloque el puntero del ratón sobre el área de selección (situada en el extremo izquierdo del documento) y haga triple clic (tres clic seguidos rápidamente con el botón izquierdo del ratón).

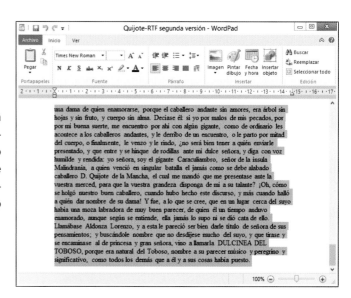

Buscar y reemplazar texto

Para buscar un fragmento de texto en un documento WordPad:

1. Sitúe el cursor de edición en el punto donde desee iniciar la búsqueda de texto.

2. En el grupo Edición de la ficha Inicio de la Cinta de opciones de WordPad, haga clic sobre el botón **Buscar**.

3. En el cuadro de texto Buscar, escriba la cadena de caracteres que se desea localizar en el documento.

4. Refine los parámetros de la búsqueda utilizando las opciones del cuadro de texto Buscar: Sólo palabras completas y Coincidir mayúsculas y minúsculas.

5. Haga clic repetidamente sobre el botón **Buscar siguiente**, para localizar todas las apariciones del texto especificado.

6. Haga clic sobre **Cancelar** para cerrar el cuadro de diálogo Buscar.

Para reemplazar un fragmento de texto por otro:

1. Sitúe el cursor de edición en el punto donde desee iniciar la búsqueda y sustitución de texto.

2. En el grupo Edición de la ficha Inicio de la Cinta de opciones de WordPad, haga clic sobre el botón **Reemplazar**.

3. En el cuadro de texto Buscar, escriba la cadena de caracteres que desea localizar.

4. En el cuadro de texto Reemplazar por, escriba la cadena de caracteres por la que se desea reemplazar el texto anterior.

5. Refine la búsqueda mediante las opciones Sólo palabras completas y Coincidir mayúsculas y minúsculas.

6. Haga clic en **Buscar siguiente**, para localizar la primera aparición del texto especificado.

7. Haga clic sobre **Reemplazar** para reemplazar la palabra actualmente seleccionada o sobre **Reemplazar todo** para reemplazar todas las apariciones del texto.

Formato de párrafo

1. En primer lugar, seleccione el párrafo de texto cuyo formato desee modificar.

2. Utilice los botones del grupo **Párrafo** de la ficha **Inicio** de la Cinta de opciones de WordPad para (de arriba a abajo y de izquierda a derecha) disminuir o aumentar la sangría del texto, iniciar una lista de puntos, modificar el espaciado entre líneas, alinear a la izquierda, centrar el texto, alinear a la derecha, justificar o abrir el cuadro de diálogo **Párrafo**.

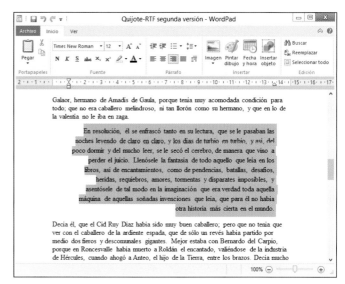

Para acceder a opciones adicionales de formato de párrafo:

1. Haga clic sobre el botón **Párrafo** 🔳 situado en la esquina inferior derecha del grupo **Párrafo** para abrir el cuadro de diálogo del mismo nombre.

2. En los cuadros de texto **Izquierda** y **Derecha** del cuadro de diálogo **Párrafo**, especifique el valor de las sangrías izquierda y derecha (distancia entre los bordes del documento y el inicio o final del texto).

3. En el cuadro de texto **Primera línea**, escriba un valor para desplazar la primera línea del párrafo seleccionado respecto a las restantes líneas del mismo.

4. En la lista desplegable **Interlineado**, especifique la separación entre líneas del párrafo. Para añadir un espacio adicional después de cada párrafo, active la casilla de verificación **Agregar espacio de 10 puntos después de los párrafos**.

5. En la lista desplegable **Alineación**, seleccione el tipo de alineación que desea aplicar al texto.

6. Haga clic sobre **Aceptar** para asignar el nuevo formato al texto seleccionado.

Tipo de letra

1. Seleccione el fragmento de texto que desea modificar.

2. Utilice las funciones del grupo **Fuente** de la ficha **Inicio** de la Cinta de opciones de WordPad para modificar el formato de fuente del texto seleccionado. De izquierda a derecha y de arriba a abajo:

- Lista desplegable **Familia de fuentes.** Permite seleccionar un tipo de letra o fuente diferente para el texto seleccionado.

- **Tamaño de fuente.** Tamaño de la letra.

- **Agrandar fuente** y **Reducir fuente.** Aumenta o reduce el tamaño de la fuente del texto seleccionado.

- **Negrita**, **Cursiva**, **Subrayado**, **Tachado**, **Subíndice** y **Superíndice.** Estos botones, aplican los estilos correspondientes al fragmento de texto seleccionado en el documento WordPad.

- **Color de resaltado de texto.** Permite marcar un fragmento de texto como lo haríamos en un documento físico de papel con un rotulador fosforescente.

- **Color del texto.** Define el color de las letras del fragmento de texto seleccionado en el documento WordPad.

Viñetas

1. Seleccione los párrafos a los que se desea asignar el estilo de viñeta.

2. En el grupo **Párrafo** de la ficha **Inicio** de la Cinta de opciones de WordPad, despliegue el menú del botón **Iniciar una lista** ⊞▾.

3. En el panel que se desplegará, seleccione el tipo de lista que desea generar.

Para anidar listas, es decir, generar sub-listas dentro de otras listas:

1. Seleccione los párrafos que desea anidar.

2. Haga clic sobre el botón **Reducir sangría** 🔳 para situar un punto de la lista de viñetas en un nivel superior al que se encuentra actualmente.

3. Haga clic sobre el botón **Aumentar sangría** 🔳 para situar un punto de la lista de viñetas en un nivel inferior al que se encuentra actualmente.

Insertar una imagen

1. Sitúe el cursor de edición en el punto del documento donde desea insertar la imagen.

2. Abra el menú del botón **Imagen** del grupo Insertar de la ficha Inicio de la Cinta de opciones de WordPad

3. Ejecute el comando Imagen haciendo clic sobre su nombre.

4. En el cuadro de texto Nombre del cuadro de diálogo Seleccionar imagen, escriba el nombre y ruta de acceso completa del archivo de imagen que desea colocar en el texto.

5. Haga clic sobre el botón **Abrir** para colocar la imagen.

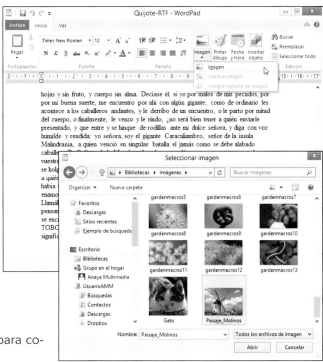

O bien:

3. En el panel de navegación o en la barra de dirección del cuadro de diálogo Seleccionar imagen, localice la carpeta donde se encuentra ubicada la imagen que desea colocar.

4. En la lista de la zona central del cuadro de diálogo, localice el archivo de imagen y haga doble clic sobre su nombre, o bien, selecciónelo y haga clic sobre el botón **Abrir**.

Vista previa

1. Haga clic sobre el menú **Archivo**, situado en la esquina superior izquierda de la ventana de aplicación (debajo del icono del menú de control).

2. Deespliegue el submenú **Imprimir** situando el puntero del ratón sobre su nombre.

3. Seguidamente, ejecute el comando **Vista previa de impresión** haciendo clic sobre su nombre.

4. En la ventana de vista previa, haga clic sobre los botones **Página anterior** y **Página siguiente** del grupo Vista previa de la ficha Vista previa de impresión para recorrer las distintas páginas del documento.

5. Haga clic sobre el botón **Dos páginas** del grupo Zoom para obtener una vista encarada de dos páginas simultáneas del documento.

6. Haga clic sobre el botón **100%** del grupo **Zoom** para mostrar el documento a tamaño real. Para regresar a la vista ampliada del documento, haga clic con el icono del ratón (con forma de lupa) sobre el punto deseado del documento.

7. Haga clic sobre el botón **Cerrar vista previa de impresión** del grupo Cerrar para regresar a la ventana principal de WordPad.

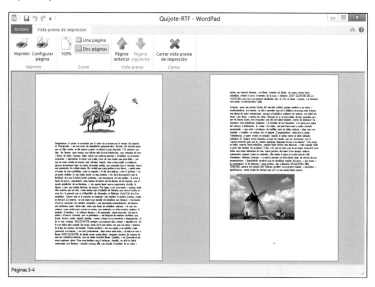

Imprimir un documento

1. Haga clic sobre el menú Archivo, situado en la esquina superior izquierda de la ventana de aplicación (debajo del icono del menú de control).

2. Ejecute el comando Configurar página haciendo clic sobre su nombre.

3. En la sección Papel del cuadro de diálogo Configurar página, seleccione el tamaño del papel y la fuente de alimentación que desea utilizar para la impresión.

4. En la sección Orientación, especifique el tipo de orientación que desea dar al documento: Vertical u Horizontal (apaisada).

5. En la sección Márgenes, fije los márgenes del documento mediante los cuadros de texto Izquierdo, Derecho, Superior e Inferior.

6. Para incluir números de página en la impresión, active la casilla de verificación Imprimir números de página.

7. Haga clic sobre el botón **Aceptar** para regresar al documento WordPad.

8. Haga clic nuevamente sobre el menú Archivo, despliegue el submenú Imprimir y ejecute el comando del mismo nombre.

9. En el cuadro de diálogo Imprimir, seleccione la impresora a la que se desea enviar el trabajo, el rango de páginas a imprimir y el número de copias y haga clic sobre el botón **Imprimir**.

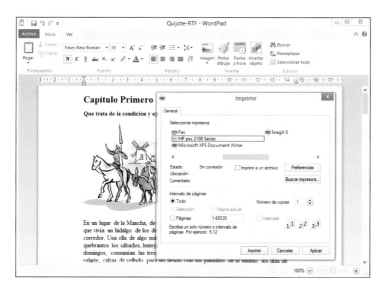

Capítulo 5

Configuración de Windows 8

Abrir la ventana Configuración y el Panel de control

Windows 8 pone a nuestra disposición un amplio abanico de opciones de personalización de su interfaz de usuario, administración del sistema, seguridad, redes, hardware, etc. La aplicación Configuración, disponible a través de la pantalla Inicio de Windows ofrece la posibilidad de configurar los aspectos más básicos y elementales del sistema operativo. Para abrir la aplicación Configuración:

1. En la pantalla Inicio, sitúe el puntero del ratón sobre la esquina superior derecha para abrir la barra lateral Charms.

2. Haga clic sobre el botón **Configuración**.

3. En el panel de configuración que aparece en el lateral derecho de la pantalla, haga clic sobre la opción Cambiar configuración de PC, en el borde inferior.

El Panel de control, por su parte, ofrece un control mucho más detallado y pormenorizado del sistema operativo. Para abrir la ventana del Panel de control:

1. En la pantalla Inicio haga clic con el botón derecho del ratón sobre cualquier espacio vacío para abrir el panel de comandos en el borde inferior de la pantalla.

2. Haga clic sobre el botón **Todas las aplicaciones**

3. Localice el icono del Panel de control, bajo el epígrafe Sistema de Windows de la pantalla Aplicaciones y haga clic sobre él.

Crear una nueva cuenta de usuario

1. Primeramente abra la aplicación **Configuración** utilizando el método descrito al principio de este capítulo.

2. En el panel del lateral izquierdo de la pantalla, seleccione la opción **Usuarios**.

3. Localice al final del área de trabajo de la aplicación el epígrafe "Otros usuarios", bajo el que se encuentra el botón **Agregar un usuario**, con forma de signo más. Haga clic sobre dicho botón.

4. Para crear una cuenta de acceso Microsoft, escriba la dirección de correo de dicha cuenta en el cuadro de texto del mismo nombre.

5. Haga clic sobre el botón **Siguiente**. La aplicación le informará de que el usuario de la cuenta tendrá que conectarse a Internet para poder iniciar su sesión por primera vez.

6. Haga clic sobre el botón **Finalizar**.

O bien:

4. Para crear una cuenta local, haga clic sobre la opción **Iniciar sesión sin una cuenta Microsoft**.

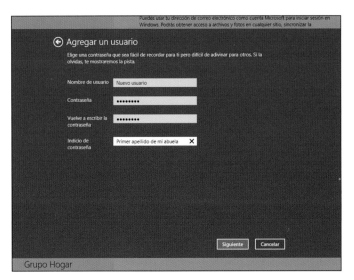

5. Haga clic sobre el botón **Cuenta local**.

6. En los cuadros de texto correspondientes, escriba un nombre de usuario y su contraseña y un indicio que sirva como recordatorio en caso de que olvide la contraseña.

7. Haga clic sobre el botón **Siguiente**.

8. En la pantalla final, que es meramente informativa, haga clic sobre el botón **Finalizar**.

Cambiar la cuenta de usuario actual

Para cambiar la configuración de la cuenta del usuario que está registrado actualmente en Windows 8:

1. Primeramente abra la aplicación **Configuración**.

2. En el panel del lateral izquierdo de la pantalla, seleccione la opción **Usuarios**.

3. Aparte de la posibilidad de crear nuevos usuarios, que vimos anteriormente en este capítulo, la pantalla de la aplicación nos ofrece las siguientes posibilidades:

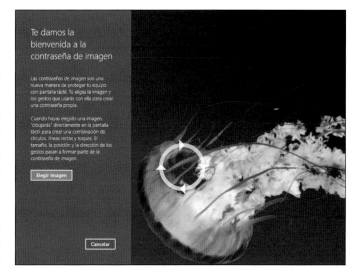

- **Cambiar a una cuenta Microsoft o Cambiar a una cuenta local.** Permite cambiar la cuenta de usuario actual entre una cuenta Microsoft y una cuenta local en cualquier momento.

- **Cambiar la contraseña.** Permite cambiar la contraseña del usuario actual.

- **Crear una contraseña de imagen.** Permite mostrar una imagen al iniciar una sesión de trabajo y obligar al usuario a realizar determinados movimientos en pantalla para poder acceder a su cuenta. Es algo similar al procedimiento de desbloqueo de pantalla de la mayoría de los teléfonos móviles modernos.

- **Crear un PIN.** Permite que el usuario inicie sesión introduciendo un número de identificación personal de su elección.

- **Permitir la activación del equipo sin contraseña.** Haga clic sobre el botón **Cambiar** al final de la sección **Opciones de inicio de sesión** para permitir que los usuarios del equipo puedan acceder al mismo sin necesidad de introducir una contraseña.

Cambiar la imagen de una cuenta

1. Primeramente abra la aplicación **Configuración** como se describió al principio del capítulo.

2. En el panel del lateral izquierdo de la pantalla, seleccione la opción **Personalizar**.

3. Haga clic sobre **Imagen de cuenta**, en la esquina superior derecha de la pantalla.

4. Haga clic sobre el botón **Examinar** para localizar una imagen en el sistema de archivos del ordenador o sobre el botón **Cámara** para tomar una imagen directamente al ordenador con una cámara conectada al equipo.

También puede acceder a la pantalla de imagen de cuenta de la aplicación **Configuración** haciendo clic sobre el nombre del usuario en la esquina superior derecha de la pantalla **Inicio** y ejecutando el comando **Cambiar imagen de cuenta** en el menú desplegable correspondiente.

Otras opciones de configuración de cuentas

1. Abra el Panel de control utilizando el método descrito al principio del capítulo.

2. Seguidamente, en la ventana del Panel de control, haga clic sobre la opción **Cuentas de usuario y protección infantil**.

3. Haga clic sobre la opción **Cuentas de usuario**.

En esta ventana Windows nos ofrece las siguientes posibilidades:

- **Realizar cambios en mi cuenta en Configuración**. Abre la pantalla **Configuración** para realizar ajustes en la cuenta de usuario.

- **Cambiar el nombre de cuenta**. Permite cambiar el nombre de la cuenta de usuario.

- **Cambiar el tipo de cuenta**. Permite cambiar entre una cuenta estándar y una cuenta de administrador, siempre que el usuario actual disponga de los permisos necesarios para hacerlo.

- **Administrar otra cuenta**. Permite realizar cambios en una cuenta diferente a la que actualmente ha iniciado su sesión de trabajo en Windows.

- **Cambiar configuración de Control de cuentas de usuario**. Permite elegir el tipo de notificaciones que recibirá el usuario cuando se vaya a realizar una modificación en el equipo.

Temas

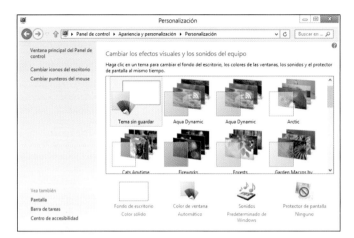

1. Abra el Panel de control utilizando el método descrito al principio del capítulo.

2. En la ventana del Panel de control, haga clic sobre el vínculo **Apariencia y personalización**.

3. Haga clic sobre el vínculo **Personalización**.

4. En la lista central de la ventana **Personalización**, seleccione el tema que desea emplear haciendo clic sobre su representación.

Para obtener nuevos temas de escritorio para Windows 8

1. Haga clic sobre la opción **Obtener más temas en línea** en el lateral derecho de la sección **Mis temas**. Se abrirá una nueva ventana de Internet Explorer con la página de descarga de temas de Microsoft.

2. Localice el tema que desea descargar en la página Web y haga clic sobre el vínculo **Descargar** situado bajo su imagen.

3. En el cuadro de descarga de archivos, haga clic sobre el botón **Abrir**.

4. Una vez completada la descarga, si aparece una advertencia de seguridad haga clic sobre el botón **Permitir**. El tema se aplicará directamente al escritorio y aparecerá en la lista **Mis temas** de la ventana **Personalización**.

Fondo de escritorio

1. Abra el Panel de control utilizando el método descrito al principio del capítulo.

2. En la ventana del Panel de control, siga la ruta Apariencia y personalización> Personalización>Fondo de escritorio.

3. En la lista desplegable Ubicación de la imagen, seleccione la carpeta que contiene las imágenes que desea mostrar sobre el escritorio de Windows o haga clic sobre el botón **Examinar** para localizar nuevas carpetas.

4. En la lista central de la ventana, seleccione las imágenes a mostrar haciendo clic sobre su casilla de verificación en la esquina superior izquierda. (O seleccione todas las imágenes o elimine la selección de todas las imágenes mediante los botones **Seleccionar todo** y **Borrar todo** respectivamente.)

5. En la paleta Posición de la imagen, seleccione el tipo de distribución de la imagen sobre el escritorio de Windows.

6. Mediante la lista desplegable Cambiar imagen cada, establezca el tiempo que permanecerá cada imagen en el escritorio.

7. Si lo desea, active la casilla de verificación Orden aleatorio para mostrar las distintas imágenes aleatoriamente.

8. Haga clic sobre el botón **Guardar cambios**.

Color de ventana

1. Abra el Panel de control utilizando el método descrito al principio del capítulo.

2. En la ventana del Panel de control, siga la ruta Apariencia y personalización>Personalización>Color de ventana.

3. Seleccione el color de las ventanas deseado haciendo clic sobre su imagen en la sección superior de la ventana de personalización.

4. Para habilitar o deshabilitar la transparencia de las ventanas, active o desactive la casilla de verificación Habilitar transparencia.

5. Para aumentar o reducir la intensidad del color de las ventanas, desplace la barra deslizante Intensidad de color hacia la derecha o hacia la izquierda respectivamente.

6. Para establecer un color personalizado para las ventanas, hacer clic sobre el botón **Mostrar mezclador de colores** y defina el color deseado mediante las barras deslizantes Matiz, Saturación y Brillo.

7. Haga clic sobre el botón **Guardar cambios**.

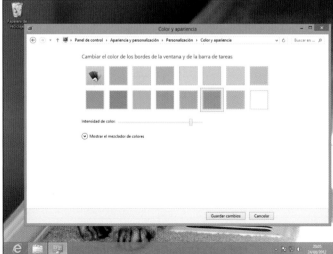

Protector de pantalla

1. Abra el Panel de control utilizando el método descrito al principio del capítulo.

2. En la ventana del Panel de control, siga la ruta Apariencia y personalización>Personalización> Protector de pantalla.

3. En el cuadro de lista desplegable de la sección Protector de pantalla, seleccione el protector que desea aplicar.

4. Para variar el tiempo de espera que necesita estar inactivo el ordenador antes de que el protector de pantalla entre en funcionamiento, escriba el valor deseado (en minutos) en el cuadro de texto Esperar.

5. Para mostrar la pantalla de bienvenida de Windows al desactivar el protector de pantalla, active la casilla de verificación Mostrar la pantalla de inicio de sesión al reanudar.

6. Haga clic sobre el botón **Aceptar**.

 Las opciones de configuración a las que se pueden acceder a través del botón **Configuración**, varían dependiendo del protector de pantalla seleccionado.

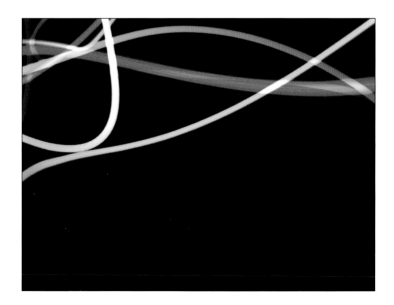

Configuración de pantalla

1. Abra el Panel de control utilizando el método descrito al principio del capítulo.

2. En la ventana del Panel de control, siga la ruta Apariencia y personalización>Pantalla.

3. Defina el tamaño relativo de los elementos de la pantalla mediante los botones de opción de la ventana. Haga clic sobre el botón **Aplicar**. Para aplicar los cambios, haga clic sobre el botón **Cerrar sesión ahora** y vuelva a iniciar la sesión nuevamente con el usuario actual.

4. O bien, para cambiar sólo el tamaño del texto, utilice las opciones de la sección Cambiar sólo el tamaño del texto.

5. Para cambiar la resolución de pantalla, regrese nuevamente a la ventana Pantalla y haga clic sobre la opción Ajustar resolución (en el lateral izquierdo de la ventana).

6. En la lista desplegable Pantalla, seleccione si es necesario la pantalla que desea configurar.

7. En la lista desplegable Resolución, seleccione la resolución horizontal (en píxeles) deseada como configuración de la pantalla del ordenador.

8. En la lista desplegable Orientación, defina el formato en el que se mostrarán los elementos de la pantalla (horizontal, vertical, horizontal volteado o vertical volteado).

9. Haga clic sobre el botón **Aceptar** para validar los cambios.

10. Haga clic sobre **Conservar cambios** en el cuadro de diálogo Configuración de pantalla.

11. Para calibrar su monitor, vuelva nuevamente a la ventana Pantalla y haga clic sobre la opción Calibrar color. Siga los pasos que le irá indicando el asistente para ir calibrando el valor de gamma, el brillo y el contraste del monitor y el balance de color del mismo.

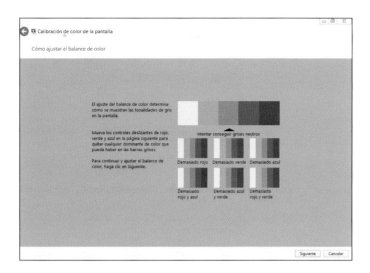

12. Cuando haya finalizado el proceso, el sistema le permitirá realizar una comparación entre la configuración inicial y la configuración final después de realizados los ajustes.

13. Haga clic sobre el botón **Finalizar** si está satisfecho con el resultado de calibración de su pantalla o sobre **Cancelar** para recuperar los valores iniciales.

14. Para calibrar la representación de texto en la pantalla del ordenador, regrese nuevamente a la ventana Pantalla y haga clic sobre la opción Ajustar texto ClearType (en el lateral izquierdo de la ventana). Observe que al realizar el calibrado de su monitor, ésta es una opción automática al hacer clic sobre el botón **Finalizar**.

15. En el primer cuadro de diálogo del optimizador, active la casilla de verificación Activar ClearType y haga clic sobre el botón **Siguiente**.

16. Active la resolución optimizada para la pantalla del ordenador o conserve la resolución actual activando los botones de opción correspondientes y haga clic sobre el botón **Siguiente**.

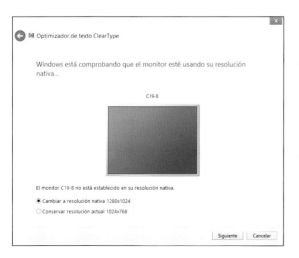

17. En los siguientes cuatro pasos del optimizador, vaya seleccionando los recuadros de texto cuya legibilidad considera más apropiada y haga clic sobre el botón **Siguiente** después de cada paso.

18. Haga clic sobre el botón **Finalizar** para completar el proceso del optimizador de texto en pantalla.

Centro de actividades

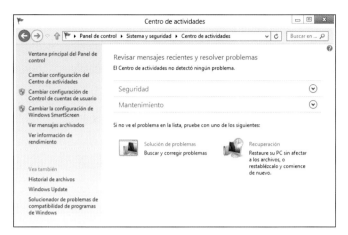

1. Abra el Panel de control utilizando el método descrito al principio del capítulo.

2. Seguidamente, en la ventana del Panel de control, siga la ruta Sistema y seguridad>Centro de actividades.

La ventana del Centro de actividades se encuentra dividida en dos secciones, Seguridad y Mantenimiento, con información sobre posibles carencias de seguridad del sistema o problemas de mantenimiento que requieran la atención del usuario. Para mostrar u ocultar la información contenida en cada una de estas secciones, haga clic sobre los iconos ⊙ o ⊙ respectivamente situados a la derecha del nombre de cada sección.

Cuando existe un problema importante en el sistema o alguna advertencia a tener en cuenta, es imposible ocultar su información.

Algunas categorías de información sobre la seguridad del sistema incluyen:

- **Firewall de red**: indica si está activado o no el cortafuegos de Windows.

- **Windows Update**: información sobre la configuración de actualizaciones de Windows.

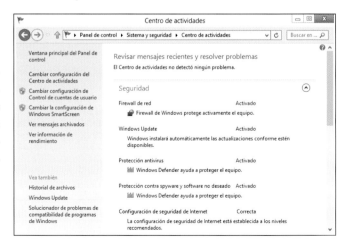

- **Protección antivirus**: estado de protección antivirus del sistema. Generalmente, se encargará de esta tarea Windows Defender, una herramienta de la que hablaremos más adelante en este mismo capítulo.

- **Protección contra spyware y software no deseado**: estado de configuración de Windows Defender. Si no se ha analizado el sistema recientemente en busca de *spyware* y software no deseado, el Centro de actividades, ofrece la posibilidad de iniciar un análisis.

- **Configuración de seguridad de Internet**: informa sobre el estado de configuración de la seguridad para la navegación por Internet.

- **Control de cuentas de usuario**: configuración del control de cuentas de usuario que pide confirmación al usuario cuando se intenta realizar cualquier acción que pueda afectar al funcionamiento del sistema. Haciendo clic sobre la opción **Cambiar configuración**, se podrá definir el nivel de seguridad que establece el control de cuentas de usuario. En el cuadro de diálogo de configuración, desplace la barra deslizante entre los valores **Notificarme siempre** (nivel de seguridad más elevado) y **No notificarme nunca** (control de cuentas de usuario desactivado) y haga clic a continuación sobre el botón **Aceptar**.

- **Windows SmartScreen**. Ayuda a proteger el ordenador frente a archivos y programas desconocidos que se descargan de Internet. Puede cambiar su configuración haciendo clic sobre el vínculo **Cambiar configuración** situado debajo de su descripción.

- **Protección de acceso a redes**. información sobre el estado de configuración del Agente de acceso a redes, que supervisa la seguridad del equipo cuando se encuentra conectado a cualquier tipo de red.

- **Activación de Windows**. Muestra información sobre el estado de activación de nuestra copia del sistema operativo.

Algunas categorías de información sobre el mantenimiento del sistema incluyen:

- **Buscar soluciones para los problemas notificados**: estado de configuración de la búsqueda de soluciones para los problemas que se producen en el sistema. Esta sección permite iniciar una búsqueda de nuevas soluciones para los problemas ya notificados al sistema, conocer las directivas de privacidad del envío de información a Microsoft para la solución de problemas, configurar la forma de buscar soluciones y ver un historial de fiabilidad del sistema.

- **Mantenimiento automático**: indica cuándo se realizó la última labor automática de mantenimiento del sistema. Si lo desea, puede iniciar una nueva sesión de mantenimiento haciendo clic sobre el vínculo **Iniciar mantenimiento** o configurar la herramienta con el vínculo **Cambiar la configuración de mantenimiento**.

- **Grupo Hogar.** Permite ver y configurar las opciones de configuración de la pertenencia del usuario al grupo en el hogar.

- **Historial de archivos.** Permite activar o desactivar la herramienta de copias de seguridad de Windows 8.

- **Estado de la unidad.** Estado de funcionamiento de las unidades de disco.

- **Software de dispositivo.** Indica si es necesario realizar alguna acción con el software que controla los dispositivos del equipo.

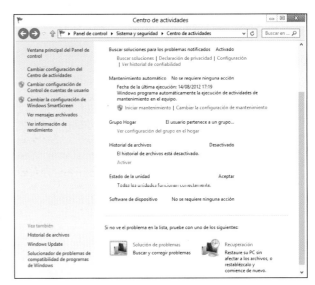

Desde el Centro de actividades de Windows, también se puede iniciar una búsqueda de soluciones para problemas que no se vean reflejados en las listas anteriores o iniciar una recuperación del sistema a un punto de restauración anterior. Para ello, el usuario deberá hacer clic sobre las opciones **Solución de problemas** o **Recuperación** situadas al final de la página.

Para cambiar la configuración del propio Centro de actividades:

1. Haga clic sobre la opción **Cambiar configuración del Centro de actividades** en el lateral izquierdo de la ventana.

2. Active o desactive las distintas casillas de verificación para definir los mensajes sobre seguridad o mantenimiento que desea mostrar o no dentro de la ventana del Centro de actividades.

3. Una vez que haya establecido la configuración deseada, haga clic sobre el botón **Aceptar** para regresar nuevamente a la ventana del Centro de actividades.

Firewall de Windows

1. Abra el Panel de control con cualquiera de los métodos descritos al principio del capítulo.

2. En la ventana del Panel de control, siga la ruta Sistema y seguridad>Firewall de Windows.

3. Haga clic en Cambiar la configuración de notificaciones o Activar o desactivar Firewall de Windows del lateral izquierdo de la ventana.

4. Active o desactive el Firewall de Windows para los distintos tipos de redes disponibles seleccionando los botones de opción correspondientes. Para bloquear todas las conexiones de entrada al equipo, active la casilla de verificación del mismo nombre. Para recibir una notificación cuando el firewall de Windows bloquee un programa, active la casilla de verificación del mismo nombre. Una vez completada la configuración, haga clic sobre el botón **Aceptar**.

5. Para permitir que un programa determinado pueda atravesar el Firewall de Windows, haga clic sobre el vínculo Permitir un programa o una característica a través de Firewall de Windows del panel izquierdo de la ventana.

6. En la lista central de la ventana, activar las casillas de verificación correspondientes a los programas o características que desee habilitar para su paso a través del cortafuegos (se puede desactivar o desactivar esta opción para cada una de las redes disponibles de forma independiente).

7. Para añadir un nuevo programa a la lista, haga clic sobre el botón **Permitir otra aplicación**. Seleccione el nuevo programa en la lista o haga clic sobre el botón **Examinar** para localizarlo en el sistema de archivos. Haga clic sobre el botón **Aceptar** para añadirlo a la lista de excepciones.

8. Finalmente, haga clic sobre el botón **Aceptar** para cerrar la ventana de configuración de programas permitidos.

Windows Update

1. Abra el Panel de control utilizando el método descrito al principio del capítulo.

2. En la ventana del Panel de control, siga la ruta Sistema y seguridad> Windows Update.

3. Para buscar las últimas actualizaciones de Windows, haga clic sobre el vínculo Buscar actualizaciones, en el panel izquierdo de la ventana.

4. Para planificar la búsqueda automática de actualizaciones, haga clic sobre Cambiar configuración que se encuentra en el panel izquierdo de Windows Update.

5. Seleccione el tipo de búsqueda automática de actualizaciones que desea utilizar: instalar actualizaciones automáticamente, descargar actualizaciones pero permitir al usuario elegir si desea instalarlas, buscar actualizaciones pero permitir al usuario elegir si desea descargarlas e instalarlas o no buscar actualizaciones. Si corresponde, especifique el momento en que se realizará la instalación de las nuevas actualizaciones.

6. Una vez configurada la aplicación, haga clic sobre el botón **Aceptar**.

7. Haga clic sobre Ver historial de actualizaciones, para conocer todas las actualizaciones instaladas en el sistema. Haga clic sobre el botón **Aceptar** una vez finalizado el examen.

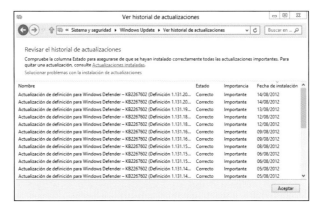

Opciones de energía

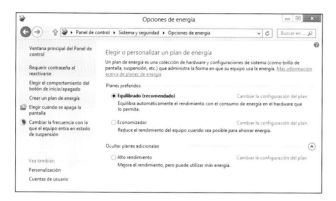

1. Abra el Panel de control utilizando el método descrito al principio del capítulo.

2. En la ventana del Panel de control, siga la ruta Sistema y seguridad> Opciones de energía.

3. En la ventana Opciones de energía, active la opción correspondiente al plan de energía que desee establecer: Equilibrado, Economizador o Alto rendimiento. (Si es necesario, despliegue la sección Mostrar planes adicionales haciendo clic sobre el botón situado a la derecha de su nombre.)

4. Para establecer un plan de energía personalizado, haga clic sobre el vínculo Crear un plan de energía en el panel izquierdo de la ventana.

5. En el cuadro de texto Nombre del plan, escriba el nombre que desea asignar al nuevo plan de energía

6. Especifique el plan de energía más próximo al plan que desea establecer mediante los botones de opción correspondientes y haga clic sobre el botón **Siguiente**.

7. Defina los tiempos de inactividad para que entre en funcionamiento cada uno de los métodos de ahorro de energía disponibles en el sistema, tanto cuando el equipo se utiliza con el respaldo de una batería como cuando se alimenta con corriente alterna:

   - Apagar la pantalla: apagar por completo la pantalla.

   - Poner el equipo en estado de suspensión: los datos se almacenan en la RAM del ordenador y se desactivan determinados periféricos como el disco duro o el monitor.

8. Una vez establecidas las opciones deseadas, haga clic sobre el botón **Crear** para crear el nuevo estado de energía.

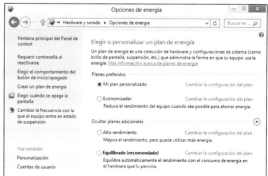

Historial de archivos

1. Abra el Panel de control utilizando el método descrito al principio del capítulo.

2. A continuación, en la ventana del Panel de control, siga la ruta Sistema y seguridad>Historial de archivos.

3. Para activar la realización automática de copias de seguridad en el sistema, haga clic sobre el botón **Activar**. Si desea recomendar la unidad de disco actualmente seleccionada para las copias de seguridad a otros usuarios del grupo Hogar, haga clic sobre el botón **Sí** en el cuadro de mensaje que aparece en pantalla. Se iniciará automáticamente una copia de los archivos más importantes de Windows en la unidad de disco especificada (o la unidad propuesta por el sistema por defecto).

En cualquier momento, podrá iniciar una nueva copia de seguridad haciendo clic sobre el vínculo Ejecutar ahora que aparece debajo de la información sobre la última operación de copia de seguridad.

Para cambiar la unidad de disco donde se realizan las copias de seguridad del sistema:

1. Haga clic sobre el vínculo Seleccionar unidad en el lateral izquierdo de la ventana.

2. La ventana Seleccionar unidad le mostrará una lista con las unidades de disco apropiadas para la realización de copias de seguridad en el sistema.

3. Seleccione cualquiera de las unidades disponibles en la lista o haga clic sobre el botón **Agregar ubicación de red** para seleccionar una ubicación compartida en la red de ordenadores a la que se encuentra asociada el equipo. En la ventana Seleccionar carpeta, localice la unidad de red y la carpeta donde quiera realizar sus copias de seguridad con Historial de archivos y haga clic sobre el botón **Seleccionar carpeta**.

4. Haga clic sobre el botón **Aceptar** en el cuadro de diálogo Seleccionar unidad. Si ya hay alguna copia de seguridad anterior, el programa le preguntará si desea mover a la nueva unidad dichos archivos. Haga clic sobre **Sí** para aceptar la operación de traspaso.

Para eliminar alguna carpeta del conjunto de elementos sobre el que se realizará la copia de seguridad:

1. Haga clic sobre el vínculo Excluir carpetas del panel del lateral izquierdo de la ventana.

2. En la ventana Excluir carpetas, haga clic sobre el botón **Agregar**.

3. En la ventana Seleccionar carpeta, seleccione la carpeta que desea excluir de la copia de seguridad y haga clic sobre el botón **Seleccionar carpeta**. La nueva carpeta aparecerá en la lista central de la ventana. Repita este proceso cuantas veces lo desee para añadir nuevas carpetas a la lista de exclusión. Para volver a realizar copia de seguridad de cualquiera de las carpetas actualmente excluidas, selecciónela en la lista y haga clic sobre el botón **Quitar**.

4. Haga clic sobre el botón **Guardar cambios**.

Para especificar otras opciones de configuración de la herramienta:

1. Haga clic sobre el vínculo Configuración avanzada del lateral izquierdo de la ventana.

2. Seleccione mediante los controles disponibles la frecuencia de realización de las copias de seguridad, el tamaño máximo de caché para almacenar copias de seguridad cuando no hay conexión con una unidad de red, el tiempo que se mantienen las versiones antiguas de la copia de seguridad y si desea recomendar la unidad que está utilizando a otros usuarios del grupo Hogar.

3. Haga clic sobre el botón **Guardar cambios**.

Para recuperar una versión anterior de los archivos de Historial de archivos:

1. Haga clic sobre el vínculo Restaurar archivos personales que se encuentra en el lateral izquierdo de la ventana.

2. Seleccione la versión de archivos que desea utilizar haciendo clic sobre los botones ⏮ o ⏭.

3. Haga clic sobre el botón ⏺ para iniciar la recuperación de archivos.

Historial de archivos es la herramienta de copia de seguridad de Windows 8. Si lo desea, puede usar la herramienta de copia de seguridad de Windows 7. Para ello, escriba en el cuadro de búsqueda del Panel de control "Recuperación de archivos de Windows 7.

Solución de problemas

1. Abra el Panel de control utilizando el método descrito al principio del capítulo.

2. En la ventana del Panel de control, siga la ruta **Sistema y seguridad> Solucionar problemas habituales del equipo** (dentro de la sección **Centro de actividades**).

3. En la ventana **Solución de problemas**, haga clic sobre la categoría de problemas que desee solucionar o sobre cualquiera de los enlaces individuales disponibles. La primera vez que se seleccione una categoría de problemas, el sistema se conectará a través de Internet para localizar los distintos paquetes de soluciones disponibles.

- **Programas**: problemas con conexiones a Internet, rendimiento y seguridad en Internet Explorer, compatibilidad de programas, problemas de impresión, configuración, biblioteca y reproducción de DVD en el Reproductor de Windows Media.

- **Hardware y sonido**: reproducción y grabación de audio, problemas con hardware y dispositivos, problemas con adaptadores de red, problemas con impresoras y problemas con la reproducción de DVD en el Reproductor de Windows Media.

- **Redes e Internet**: problemas con conexiones a Internet, con carpetas compartidas, con el Grupo Hogar, problemas con adaptadores de red, problemas con conexiones entrantes y problemas de impresión.

- **Sistema y seguridad**: problemas de seguridad en Internet Explorer, mantenimiento del sistema, configuración de energía, búsqueda e indización y problemas con Windows Update.

4. Siga los pasos del asistente correspondiente para obtener la solución al problema.

Rendimiento

1. Abra el Panel de control utilizando el método descrito al principio del capítulo.

2. En la ventana del Panel de control, siga la ruta Sistema y seguridad>Sistema.

3. Para conocer en detalle los componentes de la evaluación del sistema, haga clic sobre el vínculo Evaluación de la experiencia en Windows dentro de la sección Sistema.

4. Para actualizar la evaluación de rendimiento del equipo, haga clic sobre el vínculo Volver a ejecutar la evaluación, en la esquina inferior derecha de la ventana.

5. Para configurar los aspectos visuales relacionados con el rendimiento del sistema, haga clic sobre el vínculo Ajustar efectos visuales en el panel izquierdo de la ventana.

6. En la ficha Efectos visuales del cuadro de diálogo Opciones de rendimiento, seleccione la configuración de rendimiento predeterminada deseada o elija la opción Personalizar y active o desactive las diferentes casillas de verificación de la lista para definir una configuración de rendimiento personalizada.

7. Haga clic sobre el botón **Aceptar** para cerrar el cuadro de diálogo Opciones de rendimiento.

Indización

Las opciones de indización no se encuentran disponibles en las secciones principales del Panel de control de Windows 8. Por lo tanto, para abrir el cuadro de diálogo **Opciones de indización**, escriba su nombre en el cuadro de búsqueda de la esquina superior derecha del Panel de control. Cuando aparezca el vínculo de la herramienta, haga clic sobre él para abrir el cuadro de diálogo.

1. En el cuadro de diálogo **Opciones de indización**, haga clic sobre el botón **Modificar**.

2. Haga clic sobre el botón **Mostrar todas las ubicaciones** en el cuadro de diálogo **Ubicaciones indizadas**.

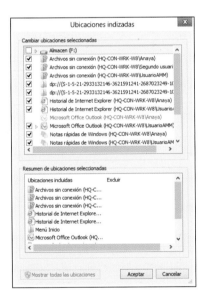

3. En la lista **Cambiar ubicaciones seleccionadas**, localice y active la casilla de verificación de la carpeta que desee añadir a la lista de indización.

4. Haga clic sobre el botón **Aceptar**.

5. Haga clic sobre el botón **Opciones avanzadas** del cuadro de diálogo **Opciones de indización**.

6. En el cuadro de diálogo **Opciones avanzadas**, especifique si desea indexar los archivos cifrados, el tratamiento de palabras similares con símbolos diacríticos y la ubicación deseada para el almacenamiento del índice.

7. Para reconstruir los índices de las ubicaciones actualmente seleccionadas, haga clic sobre el botón **Reconstruir**.

8. Haga clic sobre el botón **Aceptar** para cerrar el cuadro de diálogo **Opciones avanzadas** y cierre el cuadro de diálogo **Opciones de indización** haciendo clic sobre el botón **Cerrar**.

Liberar espacio en disco

1. Abra el Panel de control utilizando el método descrito al principio del capítulo.

2. En la ventana del Panel de control, siga la ruta Sistema y seguridad> Liberar espacio en disco (situada bajo la sección Herramientas administrativas).

3. En el cuadro de diálogo de selección de unidad, escoja la unidad de disco que desea liberar y haga clic sobre el botón **Aceptar**.

4. Si desea incluir en la limpieza los archivos del sistema, haga clic sobre el botón **Limpiar archivos de sistema**. (Si lleva a cabo este paso, tendrá que seleccionar nuevamente la unidad de disco que desea liberar).

5. En la lista Archivos que se pueden eliminar, seleccione los elementos que desea liberar activando sus casillas de verificación. Para comprobar los archivos que se verán afectados por la operación, haga clic sobre el botón **Ver archivos**.

6. En la pestaña Más opciones, utilice las secciones Programas y características y Restaurar sistema e instantáneas para liberar espacio en disco desinstalando programas que no se utilizan y eliminando puntos de restauración del sistema.

7. Haga clic sobre el botón **Aceptar** para iniciar el proceso de liberación.

8. En el cuadro de mensaje que aparece en pantalla, haga clic sobre el botón **Eliminar archivos** para confirmar la eliminación de los archivos seleccionados o sobre **Cancelar** para cerrar la aplicación.

Desfragmentar y optimizar las unidades

1. Abra el Panel de control utilizando el método descrito al principio del capítulo.

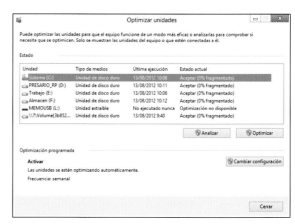

2. Después, en la ventana del Panel de control, siga la ruta **Sistema y seguridad> Desfragmentar y optimizar las unidades** (situada bajo la sección **Herramientas administrativas**).

3. Para cambiar la programación de la optimización automática, haga clic sobre el botón **Cambiar configuración**.

4. En el cuadro de diálogo que aparece en pantalla, seleccione la frecuencia de la optimización y haga clic sobre el botón **Elegir** si desea especificar qué unidades se verán afectadas por la optimización. Haga clic sobre el botón **Aceptar**.

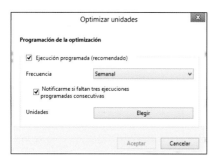

5. Para iniciar la optimización de un disco, seleccione una unidad correspondiente en la lista **Estado** y haga clic sobre el botón **Optimizar** de la ventana **Optimizar unidades**. Una vez finalizado el proceso, haga clic sobre el botón **Cerrar** para cerrar la herramienta.

Se puede detener el proceso de optimización en cualquier momento haciendo clic sobre el botón **Detener**.

Windows Defender

1. En primer lugar, para localizar la aplicación Windows Defender, en el cuadro de búsqueda de la ventana del Panel de control (en la esquina superior derecha), escriba el nombre de la aplicación, "Windows Defender". Cuando aparezca su enlace en el área de trabajo de la ventana, haga clic sobre él. Se abrirá la ventana de la aplicación.

2. Para iniciar un examen del sistema en busca de software malintencionado, asegúrese de que en la aplicación se encuentra activada la ficha Inicio, seleccione el tipo de exploración que desea realizar mediante los botones de opción de la sección Opciones de examen y haga clic sobre el botón **Examinar ahora**.

3. Para conocer el historial de software malintencionado detectado, seleccione la ficha Historial. Seleccione el tipo de elementos que desea ver (elementos en cuarentena, elementos permitidos o todos los elementos detectados) y haga clic sobre el botón **Ver detalles**.

4. Para configurar el comportamiento de la herramienta Windows Defender, active la ficha Configuración. En el panel del lateral izquierdo de la ficha, elija la categoría de opciones de configuración y seleccione el comportamiento que desee en el área de trabajo de la ventana. Las principales opciones son:

   • Protección en tiempo real. Supervisa constantemente el sistema en busca de software potencialmente malintencionado que intente instalarse o ejecutarse.

   • Archivos y ubicaciones excluidos. Permite especificar carpetas y archivos que no queremos incluir en los análisis de Windows Defender.

   • Tipos de archivos excluidos. Permite especificar categorías de archivos que no queremos incluir en los análisis de Windows Defender.

   • Avanzada. Otros tipos de configuraciones tales como incluir en el examen archivos comprimidos `.zip` o `.cab`, examinar o no las unidades extraíbles, crear un punto de restauración antes de realizar un examen, período de tiempo que permanecen los archivos sospechosos en cuarentena, etc.

Control parental

1. Abra el Panel de control utilizando el método descrito al principio del capítulo.

2. En la ventana del Panel de control, siga la ruta Cuentas de usuario y protección infantil>Protección infantil.

3. Haga clic sobre el icono de la cuenta de usuario que desea controlar. Dicha cuenta debe pertenecer a un usuario estándar, no a un administrador.

4. Para activar la protección infantil, haga clic sobre la opción Activado, aplicar configuración actual de la sección Protección infantil.

Para establecer límites de tiempo para el uso del ordenador:

1. Haga clic sobre el vínculo Límites de tiempo. Dispondrá de dos opciones para limitar el uso del ordenador del usuario:

    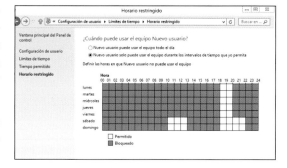

    - Establecer tiempo permitido. Permite definir un número total de horas y minutos al día (divididos en días laborales y festivos) en los que el usuario podrá utilizar el ordenador (sin especificar franjas horarias).

    - Establecer horario restringido. Permite definir hora a hora cuándo el usuario puede o no puede usar el ordenador.

2. Haga clic sobre el vínculo Configuración de usuario para regresar a la pantalla principal de protección infantil de Windows.

Para controlar el acceso a la tienda y los juegos del ordenador:

1. En la ventana Configuración de usuario haga clic sobre el vínculo Tienda Windows y Restricciones de juego.

    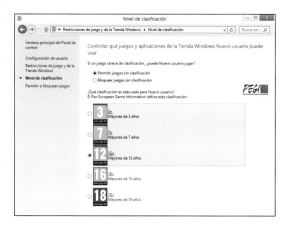

2. Active la opción Nuevo usuario sólo puede usar los juegos y las aplicaciones de la Tienda Windows que yo permita.

3. Haga clic sobre el vínculo Establecer clasificación de juegos y la Tienda Windows.

4. Seleccione si desea o no bloquear los juegos sin clasificación y active el botón de opción correspondiente a la clasificación PEGI máxima que el usuario podrá utilizar.

5. Haga clic sobre el vínculo **Permitir o bloquear juegos** del panel de opciones del lateral izquierdo de la ventana.

6. En pantalla, aparecerá una lista con los juegos instalados en el sistema del usuario que no dispongan de una clasificación PEGI. Elija la opción que desee para gestionar el juego: **Configuración de clasificación de usuario** (la configuración de clasificación ya establecida), **Permitir siempre** o **Bloquear siempre**.

7. Haga clic sobre la opción **Configuración de usuario** en el panel del lateral izquierdo para regresar a la ventana principal de protección infantil.

8. Haga clic sobre el vínculo **Restricciones de aplicaciones**.

9. Active la opción Nombre de usuario **sólo puede usar las aplicaciones que yo permita**.

10. En la lista **Comprobar las aplicaciones que se pueden usar**, active las casillas de verificación de las aplicaciones que el usuario tendrá permitido utilizar. Para activar o desactivar todas las aplicaciones de la lista, haga clic sobre los botones **Activar todo** o **Desactivar todo**. Si alguna aplicación no se encuentra en la lista, haga clic sobre el botón **Examinar** para localizarla.

11. Haga clic nuevamente sobre el vínculo **Configuración de usuario**.

12. Para establecer las limitaciones del uso de la Web, haga clic sobre el vínculo **Filtrado Web**.

13. Active la opción Nombre de usuario **sólo puede usar los sitios Web que yo permita**.

14. El programa ofrecerá dos opciones de configuración:

    *   **Establecer nivel de filtrado Web**. Permite establecer las categorías de sitios Web que puede visitar el usuario: sólo las establecidas en la lista de permitidos, sitios Web aptos para menores, sitios de interés general, comunicación en línea y advertir de contenido para adultos. También podemos establecer si deseamos bloquear o no las descargas de archivos.

    *   **Permitir o bloquear sitios Web específicos**. Permite establecer listas de sitios Web concretos que el usuario puede y no puede visitar.

Cuando el usuario intente acceder a una aplicación o un sitio Web prohibido, aparecerá un mensaje indicándole tal circunstancia. Para obtener permiso para su utilización:

1. Haga clic sobre la superficie del mensaje.

2. Haga clic sobre el botón **Uno de mis padres está presente**.

3. Seleccione una cuenta de usuario autorizada para dar permiso al usuario para utilizar la aplicación e introduzca su contraseña.

4. En el último mensaje, haga clic sobre el botón **Permitir**.

Bloqueado por Protección infantil
Solicitar permiso para usar Noticias.

Volumen del sistema

1. Abra el Panel de control utilizando el método descrito al principio del capítulo.

2. En la ventana del Panel de control, siga la ruta **Hardware y sonido>Ajustar volumen del sistema** (bajo la sección **Sonido**).

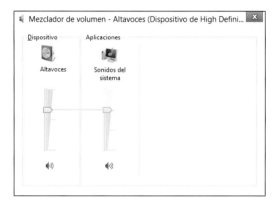

3. En el cuadro de diálogo **Mezclador de volumen**, arrastre la barra deslizante del dispositivo que desea ajustar hacia arriba para aumentar su volumen o hacia abajo para disminuirlo.

4. Para silenciar totalmente un dispositivo, haga clic sobre el botón **Silenciar** ( ) situado bajo su barra deslizante.

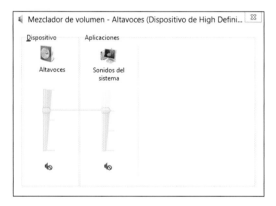

También es posible acceder al cuadro de diálogo **Mezclador de volumen** haciendo clic sobre el icono de volumen ( ) en el área de notificación de la barra de tareas de Windows y haciendo clic a continuación sobre la opción **Mezclador**.
Si se sitúa el puntero del ratón sobre dicho icono, Windows mostrará la información referente al dispositivo actualmente seleccionada y al nivel de volumen actual.

Mouse

1. Abra el Panel de control utilizando el método descrito al principio del capítulo.

2. En la ventana del Panel de control, siga la ruta Hardware y sonido>Mouse (bajo la sección Dispositivos e impresoras).

3. Active la ficha Botones.

4. Para intercambiar la función de los botones del ratón, active la casilla de verificación Intercambiar botones primario y secundario de la sección Configuración de botones.

5. Para modificar la velocidad necesaria para que el ordenador reconozca una doble pulsación del ratón como doble clic, desplace la barra deslizante de la sección Velocidad de doble clic entre los valores Lenta y Rápida. En el área de muestra situada en el lateral derecho de la barra deslizante, es posible probar los ajustes de velocidad haciendo doble clic sobre el icono de la carpeta.

6. Para simular la presión del botón izquierdo o derecho del ratón con un solo clic, active la casilla de verificación Activar bloqueo de clic.

7. Haga clic sobre el botón **Aceptar** para validar los cambios.

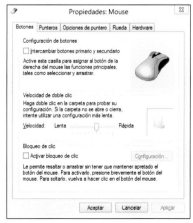

Agregar impresoras

1. Abra el Panel de control utilizando el método descrito al principio del capítulo.

2. Seguidamente, en la ventana del Panel de control, siga la ruta Hardware y sonido>Dispositivos e impresoras.

3. Haga clic sobre el botón **Agregar una impresora** de la barra de comandos para abrir el primer cuadro de diálogo del asistente para agregar impresoras. Windows empezará la búsqueda de las impresoras conectadas al sistema. Si no localiza la impresora deseada, haga clic sobre la opción La impresora deseada no está en la lista.

4. Haga clic sobre la opción correspondiente al tipo de impresora que desee añadir: una impresora compartida por nombre, con una dirección TCP/IP o nombre de host, inalámbrica o Bluetooth, etc.

También podrá optar por agregar una impresora local o de red configurando manualmente sus parámetros. Para ello, una vez haya elegido dicha opción y hecho clic sobre el botón **Siguiente**:

1. Seleccione el puerto al que se encuentra conectada la impresora o cree un nuevo puerto. Haga clic sobre el botón **Siguiente**.

2. Seleccione el nombre del fabricante y el modelo de la impresora en las listas disponibles para tal efecto o haga clic sobre los botones **Windows Update** (para buscar los controladores en Microsoft) o **Utilizar disco** (para utilizar un disco de instalación que acompañe a la impresora). Haga clic sobre el botón **Siguiente**.

3. Asigne un nombre a la nueva impresora y haga clic sobre el botón **Siguiente**.

4. Elija si desea o no compartir la impresora con otros usuarios y haga clic sobre el botón **Siguiente**.

5. En el último cuadro de diálogo podrá definir si la nueva impresora será la predeterminada del sistema e imprimir una página de prueba mediante el botón del mismo nombre. Haga clic sobre el botón **Finalizar**.

Fecha y hora

1. Abra el Panel de control utilizando el método descrito al principio del capítulo.

2. En la ventana del Panel de control, siga la ruta Hardware y sonido>Reloj, idioma y región>Fecha y hora.

3. En el cuadro de diálogo Fecha y hora, si es necesario active la ficha Fecha y hora haciendo clic sobre su etiqueta.

4. Haga clic sobre el botón **Cambiar fecha y hora**.

5. En el calendario de la sección Fecha, seleccione el mes y el día del mes deseado.

6. En el cuadro de texto situado bajo la esfera del reloj, escriba la hora correspondiente con el formato *horas:minutos:segundos*.

7. Haga clic sobre el botón **Aceptar**.

8. Haga clic sobre el botón **Cambiar zona horaria**.

9. En la lista desplegable del cuadro de diálogo Configuración de zona horaria, selecione la zona horaria que desee establecer.

10. Active la casilla de verificación Ajustar el reloj automáticamente al horario de verano, para adaptar el sistema a los cambios horarios de la zona en la que se encuentra ubicado el ordenador.

11. Haga clic sobre el botón **Aceptar**. En el cuadro de diálogo Fecha y hora, haga clic nuevamente sobre el botón **Aceptar**.

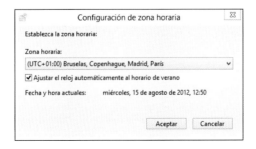

Programas predeterminados

1. Abra el Panel de control utilizando el método descrito al principio del capítulo.

2. En la ventana del Panel de control, siga la ruta Programas> Programas predeterminados.

3. Para convertir un programa en predeterminado para todos los tipos de archivos asociados correspondientes, haga clic sobre la opción Establecer programas predeterminados.

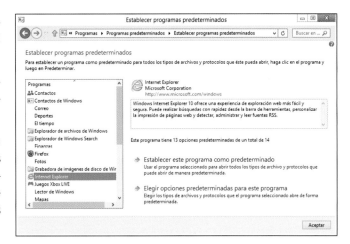

4. En la lista Programas, seleccione el programa que desea establecer como predeterminado.

5. Haga clic sobre la opción Establecer este programa como predeterminado y haga clic sobre el botón **Aceptar** para cerrar la ventana.

6. Para asociar un tipo de archivo a un programa determinado, haga clic sobre la opción Asociar un tipo de archivo o protocolo con un programa en la ventana Programas predeterminados.

7. En la lista de tipos de archivos, seleccione el tipo cuyo programa predeterminado desee modificar.

8. Después, haga clic sobre el botón **Cambiar programa**.

9. Seleccione el nuevo programa a utilizar en la lista, haga clic sobre Más opciones para ampliar la lista y, si aún no encuentra el programa en la lista que se le proporciona, haga clic sobre Buscar otra aplicación en el equipo para especificar la ubicación del programa.

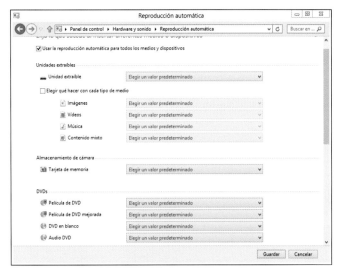

10. A continuación, haga clic sobre el botón **Cerrar** para dar por finalizado el proceso y cerrar la ventana Establecer asociaciones.

11. Para cambiar la configuración de reproducción automática de CD, DVD y otros tipos de archivos, haga clic sobre el vínculo Cambiar configuración de Reproducción automática.

12. Active la casilla de verificación Usar la reproducción automática para todos los medios y dispositivos para iniciar automáticamente la reproducción en todos los dispositivos del sistema.

13. Para cada tipo de medio o dispositivo, seleccione en la lista contigua a su nombre, el tipo de acción que desea realizar cuando sea detectado.

14. Haga clic sobre el botón **Guardar** para almacenar los cambios.

15. Para configurar los programas predeterminados para acciones específicas del sistema, haga clic sobre el vínculo Configurar acceso y programas predeterminados en el equipo (para llevar a cabo esta acción, es probable que necesite iniciar sesión en el sistema como usuario Administrador).

16. Para establecer una configuración personalizada, activar la opción del mismo nombre en la ventana Configurar acceso y programas predeterminados en el equipo. Seleccione la opción Personalizada en la lista Elija una configuración y, si es necesario, haga clic sobre el icono ⊻ para desplegar el contenido de dicha opción.

17. En las categorías definidas para las distintas acciones estándar del sistema, active la opción correspondiente al tipo de programa que desee utilizar. Utilice la casilla de verificación contigua a cada nombre de programa para habilitar o deshabilitar el acceso a dicho programa.

18. Haga clic sobre el botón **Aceptar** para validar los cambios.

19. Cierre la ventana Programas predeterminados.

Unidad de DVD RW (G:) Audio CD
Pulsa para seleccionar lo que le ocurre a CDs de audio.

Capítulo 6
Redes

Centro de redes y recursos compartidos

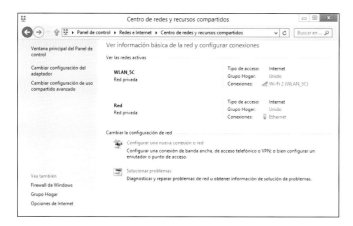

1. Abra el Panel de control de Windows.

2. En la ventana del Panel de control, siga la ruta Redes e Internet> Centro de redes y recursos compartidos. La sección Ver las redes activas muestra las conexiones del ordenador con la red y el estado de adhesión del equipo al grupo Hogar

3. Haga clic sobre el vínculo junto al epígrafe Conexiones de la sección Ver las redes activas para conocer el estado actual de la conexión.

4. Haga clic sobre la opción Configurar una nueva conexión o red para definir una nueva conexión inalámbrica, de banda ancha, de acceso telefónico, ad-hoc o VPN.

5. Haga clic sobre la opción Solucionar problemas para iniciar el solucionador de problemas de redes e Internet.

6. Haga clic sobre el enlace Cambiar configuración del adaptador en el panel de tareas del lateral izquierdo de la ventana para abrir la ventana Conexiones de red, desde la que podrá habilitar o deshabilitar un dispositivo de red, ver su estado, diagnosticar problemas, etc.

7. En el panel de tareas del lateral izquierdo de la ventana Centro de redes y recursos compartidos, haga clic sobre la opción Cambiar configuración de uso compartido avanzado para especificar las características de uso compartido de los distintos perfiles de red existentes.

Grupo Hogar

El grupo Hogar es una función de Windows que conecta equipos domésticos y que se configura automáticamente al incorporar a la red el primer equipo con Windows 7 u 8.
Para cambiar la configuración del grupo Hogar:

1. Abrir la ventana **Centro de redes y recursos compartidos** y haga clic sobre la opción **Grupo Hogar** que se encuentra situada en el borde inferior del panel de tareas en el lateral izquierdo de la ventana.

2. Si no existe todavía ningún elemento compartido en el equipo (como en la situación inicial después de instalar Windows 7), haga clic sobre la opción **Elegir lo que desea compartir y ver la contraseña del grupo en el hogar**. En el primer cuadro de diálogo del asistente, seleccione las bibliotecas que desea compartir en las listas desplegables correspondientes y haga clic sobre el botón **Siguiente**. Anote la contraseña que aparece en el asistente para poder agregar otros equipos al grupo en el hogar y haga clic sobre el botón **Finalizar**. Una vez realizado este proceso, podrá activar o desactivar directamente las bibliotecas desee compartir haciendo clic sobre el enlace **Cambiar lo que comparte con el grupo hogar** en la ventana **Grupo Hogar.**.

3. Para compartir recursos multimedia con otros dispositivos de la red, haga clic sobre la opción **Permitir que todos los dispositivos de esta red, como televisores y consolas de juego, reproduzcan mi contenido compartido.**

4. Configure si lo desea las restantes opciones del grupo Hogar: **Ver o imprimir la contraseña del grupo en el hogar, Cambiar contraseña, Abandonar el grupo en el hogar, Cambiar configuración de uso compartido avanzado** e **Iniciar el Solucionador de problemas de Grupo Hogar.**

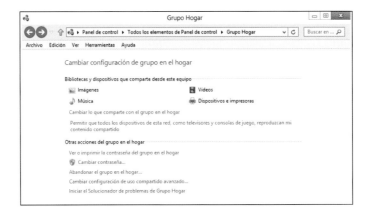

Otras opciones del grupo Hogar

En ocasiones, cuando configuremos un nuevo ordenador, ya existirá previamente una red o un grupo Hogar al que deseemos conectarnos.

Para unirse a un grupo Hogar ya existente:

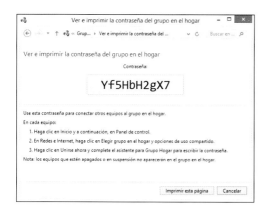

1. En primer lugar, hable con el administrador de su red o la persona encargada de gestionar todo lo referente con el grupo Hogar al que desea conectarse. Dicha persona deberá proporcionarle una contraseña necesaria para completar el proceso de adhesión al grupo. Si es usted el encargado de localizar dicha información, la encontrará en la ruta Redes e Internet>Centro de redes y recursos compartidos>Grupo Hogar>Ver o imprimir la contraseña del grupo en el hogar de cualquier ordenador que ya se encuentre conectado al grupo.

2. Vuelva a su ordenador y siga la ruta Redes e Internet>Centro de redes y recursos compartidos>Grupo Hogar (en el panel de tareas del lateral izquierdo de la ventana) del Panel de control.

3. Si su ordenador ha detectado la existencia de un grupo Hogar ya disponible, le ofrecerá un botón de tipo **Unirse ahora** que deberá pulsar para iniciar el proceso de adhesión al grupo Hogar.

4. El primer cuadro de diálogo del asistente es meramente informativo. Haga clic sobre el botón **Siguiente**.

5. A continuación, aparecerá nuevamente la lista de elementos de nuestro ordenador a compartir dentro del grupo hogar. Para cada categoría de bibliotecas o carpetas, elija si desea o no compartir dicho elemento y, cuando haya terminado, haga clic sobre el botón **Siguiente**.

6. El asistente le permitirá que introduzca la contraseña del grupo Hogar, la que consiguió en el paso 1 de este proceso. Tenga en cuenta que la contraseña suele combinar caracteres en mayúsculas y minúsculas con dígitos. Una vez escrita la contraseña, haga clic sobre el botón **Siguiente**.

7. Se habrá unido al grupo Hogar existente. En el último cuadro de diálogo, meramente informativo, haga clic sobre el botón **Finalizar** para completar el proceso.

Las opciones de configuración del grupo Hogar las podemos controlar en cualquier momento a través de la ventana **Grupo Hogar**, a la que se accede siguiendo la ruta **Redes e Internet>Centro de redes y recursos compartidos>Grupo Hogar** (en el panel de tareas del lateral izquierdo de la ventana) del Panel de control.

Dentro de esta ventana nos encontraremos con las siguientes opciones:

- **Cambiar lo que comparte con el grupo hogar**: al hacer clic sobre esta opción, aparecerá nuevamente el cuadro de diálogo en el que podemos elegir entre las carpetas, bibliotecas y dispositivos de nuestro sistema, los elementos que deseamos o no compartir con el resto de los usuarios del grupo hogar seleccionando los valores **Compartido** o **No compartido** en las listas desplegables correspondientes.

- **Permitir que todos los dispositivos de esta red, como televisores y consolas de juego, reproduzcan mi contenido compartido**: permite compartir recursos multimedia con otros dispositivos de la red.

- **Ver o imprimir la contraseña del grupo en el hogar**: muestra la contraseña del grupo Hogar al que nos encontramos adheridos y permite imprimirla directamente en una impresora.

- **Cambiar contraseña**: sirve para modificar la contraseña actual del grupo en el Hogar. Esta opción puede ser necesaria, por ejemplo, cuando la contraseña anterior se ha visto comprometida por cualquier motivo. El programa

le ofrecerá una nueva contraseña al azar o le permitirá escribirla usted mismo. No olvide comunicar la nueva contraseña al resto de los usuarios del grupo en el hogar.

- **Abandonar el grupo en el hogar**: como su propio nombre indica, sirve para abandonar el grupo Hogar al que nos encontramos actualmente adheridos. Cuando haga clic sobre este vínculo, el programa le ofrecerá tres opciones: abandonar por completo el grupo hogar, no abandonarlo pero cambiar los objetos que se comparten o cancelar la operación. Después de abandonar el grupo hogar no compartirá ningún objeto con los otros usuarios del grupo ni podrá acceder tampoco a sus carpetas, bibliotecas y dispositivos compartidos.

- **Cambiar configuración de uso compartido avanzado**: para todos los perfiles de red que tenga disponibles actualmente (privadas y públicas), podrá definir si desea o no activar la detección de redes, compartir archivos e impresoras, permitir que Windows administre las conexiones del grupo Hogar, etc.

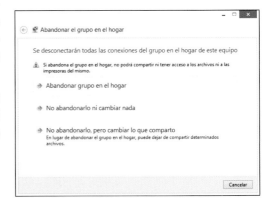

- **Iniciar el Solucionador de problemas de Grupo Hogar**: abre un asistente que le permitirá buscar y solucionar problemas en el grupo Hogar.

La ventana Red

1. Abra el Explorador de Windows y, en el panel de navegación, haga clic sobre el elemento **Red** (puede que necesite antes hacer clic con el botón derecho del ratón sobre cualquier espacio vacío del panel y ejecutar el comando **Mostrar todas las carpetas**.)

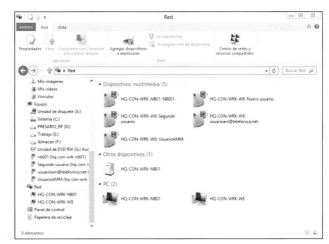

Dentro de esta ventana puede encontrar, entre otros, los siguientes elementos:

- En la ficha **Red** de la Cinta de opciones, encontrará un acceso directo a la ventana Centro de redes y recursos compartidos y al asistente para agregar dispositivos e impresoras al sistema.

- En el área de trabajo de la aplicación, bajo la sección **Dispositivos multimedia**, tenemos un acceso al contenido multimedia compartido de los distintos usuarios de la red. Al hacer doble clic sobre cualquiera de los iconos de esta sección se abrirá la ventana del Reproductor de Windows Media con el contenido multimedia del dispositivo seleccionado.

- Bajo el epígrafe **PC**, encontrará todos los equipos actualmente conectados a la red (incluyendo el propio). Haga doble clic sobre cualquiera de estos iconos para navegar por las carpetas compartidas en dicho equipo.

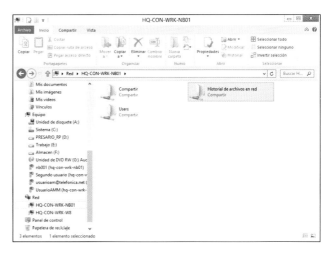

Compartir en red

1. En la ventana del Explorador de Windows, localice la carpeta o recurso que desea compartir con otros usuarios de la red.

2. Haga clic a continuación con el botón derecho del ratón sobre su icono y, en el menú contextual, despliegue el submenú Compartir con y seleccione la opción deseada:

- **Dejar de compartir.** Cuando el objeto seleccionado ya se está compartiendo en la red, mediante este comando dejará de compartirlo.

- **Grupo en el hogar (ver).** Comparte el objeto seleccionado con los componentes del grupo en el hogar al que se encuentra adherido, pero sólo permite a dichos usuarios ver el contenido compartido (no se puede modificar ni editar).

- **Grupo en el hogar (ver y editar).** Comparte el objeto seleccionado con los componentes del grupo en el hogar pero esta vez, además del permitirles ver el contenido compartido, podrán editarlo y modificarlo de cualquier forma que el sistema operativo les permita.

- **Usuarios específicos.** Permite seleccionar un usuario o grupo de usuarios específicos con los que compartir el contenido actualmente seleccionado. En el cuadro de diálogo **Archivos compartidos**, escriba el nombre del usuario que desea añadir a la lista o selecciónelo en la lista desplegable correspondiente y haga clic sobre el botón **Agregar**. Cuando haya finalizado de agregar usuarios, haga clic sobre el botón **Compartir**.

Cuando un usuario dispone de elementos compartidos, éstos se muestran dentro de la ventana **Red** al hacer doble clic sobre el nombre del equipo correspondiente.

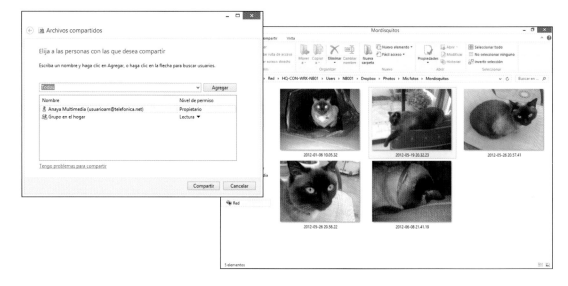

Internet Explorer clásico

Para abrir la aplicación Internet Explorer:

1. Abra el Escritorio de Windows y, en la barra de tareas, haga clic sobre su acceso directo (el situado en el extremo izquierdo de la barra).

- Para mostrar u ocultar temporalmente la barra de menús pulse la tecla **Alt**.

- Para mostrar permanentemente la barra de menús pulse la tecla **Alt** y ejecute el comando Ver>Barras de herramientas>Barra de menús.

- Para mostrar la ventana de Internet Explorer a pantalla completa y maximizar el espacio disponible para la página Web pulse la tecla **F11** o ejecute el comando Ver>Pantalla completa. (Pulse nuevamente **F11** para volver a la versión de ventana del programa.

- Para mostrar el listado de favoritos, fuentes e historial de Internet Explorer despliegue el submenú Ver>Barras del explorador y ejecute los comandos Favoritos, Historial o Fuentes (o pulse las combinaciones de teclas **Control-Mayús-I, H** o **G** respectivamente.)

- Para cerrar el panel de favoritos haga clic sobre el botón **Cerrar** × del panel.

Internet Explorer desde la pantalla Inicio

Cuando se accede a Internet Explorer desde su mosaico de la pantalla Inicio, se abre una versión compacta y simplificada de la aplicación que no consume recursos y, por lo tanto, no es necesario cerrar para mejorar el rendimiento del equipo.

Para mostrar las opciones disponibles en el programa, haga clic con el botón derecho del ratón sobre cualquier punto que no sea un enlace u objeto de la página Web actual.

- **Pestañas**. En esta zona se muestra una imagen en miniatura de las distintas pestañas abiertas en el programa.

- **Abrir una nueva pestaña.** Carga una nueva pestaña para una página Web diferente.

- **Herramientas de pestaña.** Permite iniciar una exploración InPrivate y cerrar todas las pestañas abiertas.

- **Atrás.** Muestra la página anterior a la actualmente seleccionada.

- **Cuadro de dirección.** Sirve para introducir una dirección Web.

- **Actualizar.** Actualiza el contenido de la página que se está mostrando en pantalla.

- **Anclar a Inicio.** Crea un mosaico en la pantalla Inicio con un acceso directo a la página actualmente seleccionada.

- **Herramientas de página o aplicación.** Dependiendo de la página o aplicación que esté abierta en el programa, mostrará un menú con diferentes comandos de utilidad.

- **Adelante.** Cuando se ha utilizado el botón **Atrás**, muestra la página siguiente a la página actualmente seleccionada.

Opciones de Internet

Para modificar los parámetros de comportamiento del navegador en Windows 8:

1. En el Panel de control, siga la ruta **Redes e Internet>Opciones de Internet**. Se abrirá el cuadro de diálogo del propiedades de Internet con la ficha **General** activada.

2. En el cuadro de texto de la sección **Página principal**, escriba la dirección URL de la página de inicio predeterminada con la que conectará automáticamente Internet Explorer cada vez que se inicie el programa.

3. En la sección **Inicio**, seleccione si desea empezar cada nueva sesión de trabajo con Internet Explorer con las pestañas que quedaron abiertas en la última sesión de trabajo o comenzar simplemente con una pestaña con la página de inicio predeterminada.

4. En la sección **Pestañas**, haga clic sobre el botón del mismo nombre para modificar el comportamiento de las pestañas en Internet Explorer: habilitar o deshabilitar la exploración con pestañas, permitir la creación de grupos de pestañas, decidir si los vínculos de otros programas se abrirán en la misma ventana, en una ventana diferente o en la misma pestaña o en una pestaña diferente, etc.

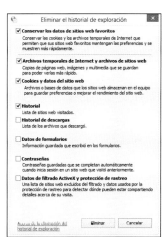

5. En la sección Historial de exploración, haga clic sobre el botón **Configuración** para configurar el comportamiento de los archivos temporales, el historial y las cachés y bases de datos de Internet. También podrá establecer la periodicidad con la que se desea buscar las nuevas versiones de las páginas guardadas, el espacio reservado en el disco para las copias, la ubicación de los archivos temporales, el número de días para conservar las páginas del historial y permitir o no la creación de cachés y bases de datos para los sitios Web.

6. Para eliminar los archivos temporales, las cookies, el historial de páginas visitadas, los datos de formularios y las contraseñas, haga clic sobre el botón **Eliminar** de la sección **Historial de exploración**. Active las casillas de verificación correspondientes a los elementos que desea eliminar o desactive las de aquellos que desee conservar y haga clic sobre el botón **Eliminar**.

7. Finalmente, haga clic sobre el botón **Aceptar** para cerrar el cuadro de diálogo de propiedades de Internet.

Conexión a Escritorio remoto

Conexión a Escritorio remoto 8 permite controlar un ordenador de forma remota desde otro equipo diferente. El primer paso para trabajar con esta herramienta es permitir que se realicen conexiones con el ordenador que va a ser controlado de forma remota. Para hacerlo:

1. En el Panel de control siga la ruta Sistema y seguridad> Sistema>Configuración de Acceso remoto (en el panel de tareas del lateral derecho de la ventana). Se abrirá el cuadro de diálogo Propiedades del sistema con la ficha Acceso remoto activada.

2. En la sección Escritorio remoto, activar la opción Permitir las conexiones remotas a este equipo. Si lo desea, puede utilizar el botón **Seleccionar usuarios** para escoger los usuarios que podrán tener acceso a su escritorio de forma remota.

3. Haga clic sobre el botón **Aceptar**.

También deberá disponer de una cuenta de usuario en el ordenador de destino con la que iniciar una sesión de trabajo en el equipo.

Para iniciar una sesión de acceso remoto a otro ordenador:

1. Siguiendo cualquiera de las técnicas descritas al principio del capítulo 4, localice e inicie la aplicación Conexión a Escritorio remoto.

2. Haga clic sobre **Mostrar opciones**, en la esquina inferior izquierda de la ventana para mostrar la versión completa de la ventana de la aplicación.

3. Active si es necesario la ficha General.

4. En el cuadro de texto Equipo de la sección Configuración del inicio de sesión, escriba el nombre del equipo con el que desea conectar.

5. En el cuadro de texto Usuario, escriba el nombre de una cuenta de usuario del ordenador remoto a la que tenga acceso.

6. Si desea almacenar las credenciales que introducirá a continuación para no tener que escribirlas cada vez que se conecte remotamente con el equipo, active la casilla Permitirme guardar las credenciales.

7. Haga clic sobre el botón **Conectar**.

8. Escriba la contraseña de la cuenta de usuario escogida.

9. Haga clic sobre el botón **Aceptar**.

10. Si el ordenador con el que desea conectar está siendo utilizado actualmente por otro usuario, aparecerá un mensaje indicándole que deberá enviarse un aviso a dicho usuario para que acepte su desconexión. Haga clic sobre el botón **Sí** para continuar.

11. En la pantalla del ordenador remoto, aparecerá un mensaje indicando el intento de conexión remota. El usuario de dicho ordenador deberá hacer clic sobre el botón **Aceptar** para aceptar de inmediato la conexión o sobre **Cancelar** para impedir que dicha conexión se realice. Si el usuario no realiza ninguna acción durante 30 segundos, su sesión de trabajo se desconectará automáticamente para dar paso al inicio de la sesión remota.

Transcurridos unos instantes, verá en la pantalla de su ordenador una representación del escritorio del ordenador remoto. En ella, podrá trabajar como si se tratase de su propio ordenador. La única diferencia que encontrará con un escritorio de Windows estándar es la barra de conexión, situada en el extremo superior de la pantalla. En esta barra, junto con el nombre del equipo encontrará los tres botones (en el lateral derecho) que le permitirán controlar su sesión de escritorio remoto como si se tratara de cualquier otra ventana de su sistema operativo. Los dos primeros botones le permitirán minimizar y restaurar o maximizar el tamaño de la ventana del escritorio remoto. El tercer botón, con forma de aspa, sirve para cerrar de manera definitiva la conexión con el ordenador remoto y permitir que su usuario pueda retomar el control del equipo. Un mensaje de advertencia avisará de que va a realizarse la desconexión. Haga clic sobre el botón **Aceptar** para completar el proceso.

La barra de conexión desaparece automáticamente al cabo de unos segundos, para facilitar una experiencia de trabajo con el equipo remoto aún más real. Si desea recuperarla coloque el puntero del ratón sobre la parte central del borde superior del escritorio remoto.

STORY LIBRARY **12**

by Marne Ventura

OCEAN ADVENTURES

12 EPIC

www.12StoryLibrary.com

12-Story Library is an imprint of Bookstaves.

Photographs ©: Grafner/iStockphoto, cover, 1; NASA/GSFC/LaRC/JPL, MISR Team, 4; blublaf/iStockphoto, 5; NOAA Office of Ocean Exploration and Research, 6 (left); Kmusser/CC3.0, 6 (right); Steve Nicklas/NOS/NGS/NOAA Ship Collection, 7 (top); NOAA Office of Ocean Exploration and Research, 7 (bottom); Norimoto/iStockphoto, 8; Global_Pics/iStockphoto, 9; Damocean/iStockphoto, 10; Duarte Dellarole/Shutterstock.com, 11; UCSB/USC/NOAA/WHOI, 12; NOAA Okeanos Explorer Program, Mid-Caymen Rise Expedition 2011, 13; Brian Kinney/Shutterstock.com, 14; Adam Ke/Shutterstock.com, 15; Luis Javier Sandovai/Getty Images, 16; Bettmann/Getty Images, 17; Nicolas Billington/Shutterstock.com, 18; wildestanimal/Shutterstock.com, 19; Ton Engwirda/CC3.0, 20; Rich Carey/Shutterstock.com, 21; Moongateclimber/CC3.0, 22; Myroslava Bozhko/Shutterstock.com, 23; Accent Alaska.com/Alamy Stock Photo, 24 (top); Mikenorton/CC3.0, 24 (bottom); michelleridgeway.typepad.com, 25; lilly3/iStockphoto, 26; Rasmus-Raahauge/iStockphoto, 27; pingebat/Shutterstock.com, 28-29

ISBN
978-1-63235-566-9 (hardcover)
978-1-63235-620-8 (paperback)
978-1-63235-682-6 (hosted ebook)

Library of Congress Control Number: 2018937848

Printed in the United States of America
Mankato, MN
June, 2018

About the Cover
Underwater snorkeling on the Great Barrier Reef along the coast of Australia.

Access free, up-to-date content on this topic plus a full digital version of this book. Scan the QR code on page 31 or use your school's login at 12StoryLibrary.com.

Table of Contents

Great Barrier Reef Is Visible from Space

The Great Barrier Reef is a chain of coral along the northeast coast of Australia. It's bigger than the Great Wall of China. It's the only life form large enough to see from space. It's the world's largest structure made of life forms. The reef has been growing for 500,000 years.

Coral polyps are animals in the jellyfish family. They join together to make reefs. A reef is made up of hundreds of thousands of polyps. Algae live inside the corals. The corals protect the algae from other marine life. The algae make food for the coral. The algae also make a limestone skeleton for the coral. The algae give corals their beautiful colors.

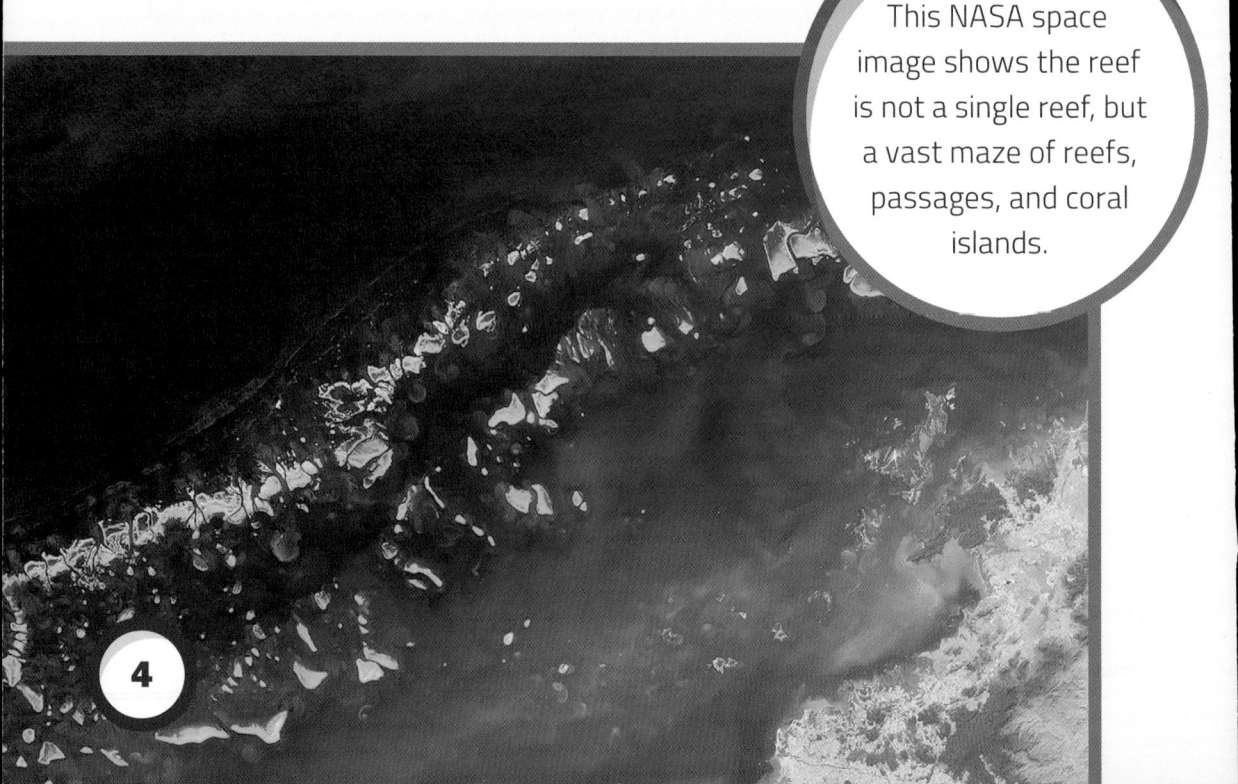

This NASA space image shows the reef is not a single reef, but a vast maze of reefs, passages, and coral islands.

2 million

Number of people who visit the Great Barrier Reef each year.

- The Great Barrier Reef is a huge coral structure.
- Coral polyps and algae grow to form the reef.
- The reef is home to thousands of colorful sea animals.

CORALS IN DANGER

Corals need water between 70° and 100° degrees Fahrenheit (21° to 38°C) to live. Global warming caused by mining and burning fossil fuels like coal is making the oceans warmer. In recent years, warmer ocean waters have been killing corals in the Great Barrier Reef.

10 percent of the world's fish species live in the Great Barrier Reef.

The Great Barrier Reef is home to all kinds of marine life. Whales, dolphins, and porpoises live there. Over 1,500 fish species and 5,000 mollusks are found on the reef. Sea snakes, turtles, crocodiles, and seabirds abound. The bright colors of the fish and the clear blue water are a favorite sight of visitors.

People from all over the world come to the Great Barrier Reef. They can scuba dive, snorkel, Jet Ski, skydive, or ride in glass-bottom boats.

Challenger Deep Is Dark, Cold—and Very Deep

The Challenger Deep is a point on the Mariana Trench. It is in the Pacific Ocean between Japan and Papua New Guinea. It is the deepest point in all the oceans of Earth. If Earth's tallest mountain were put in the trench, it would still be covered by more than a mile of water.

Earth's crust is made up of huge plates that float on a layer of hot rock. The Mariana Trench was formed where two plates bumped into each other. One plate was pushed downward. This made a huge canyon on the ocean floor. In 1875, the British Royal Navy first measured the trench in a ship named the HMS *Challenger*. A second British ship with the same name returned

Maug is a volcano in the islands along the Mariana Trench.

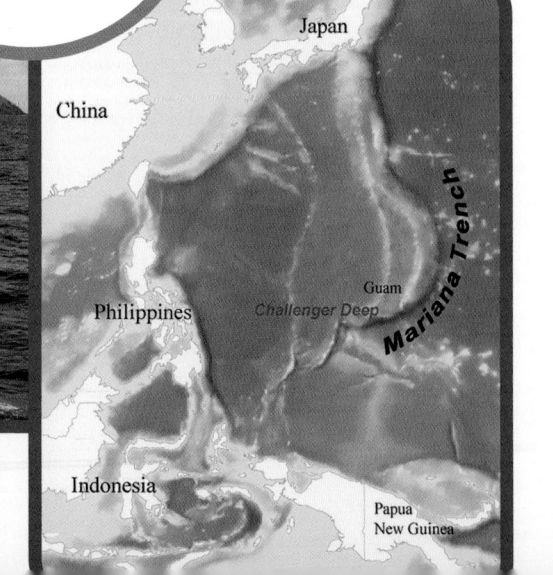

Japan

China

Philippines

Guam

Challenger Deep

Mariana Trench

Indonesia

Papua New Guinea

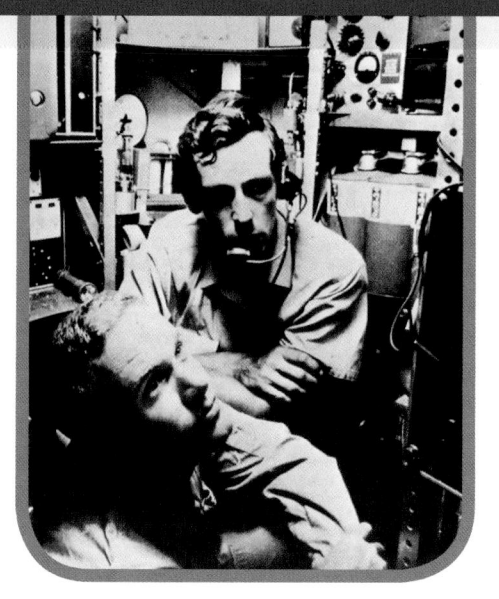

down to the Challenger Deep. The trench is a hard place to explore because it is so dark and cold. The water pressure is too high for most animals to survive. Crustaceans, sea cucumbers, amoeba-like creatures, and bacteria live in the deep waters.

to measure the trench in 1951. The Deep is named after these ships.

Only three explorers have descended into the Deep. Swiss engineer Jacques Piccard and US naval officer Don Walsh traveled down in a Navy seacraft in 1960. In 2012, Canadian filmmaker James Cameron went

Cusk eels are common in the deep sea.

THINK ABOUT IT

Thousands of climbers have made it to the top of Mount Everest, the highest place on Earth. Only three people have gone down to the Challenger Deep. Why is this?

6.8
Depth in miles (11 km) of Challenger Deep.

- The Challenger Deep is the deepest known point in any ocean on Earth.
- A collision between two plates of Earth's crust formed the trench.
- Explorers have found microbial life forms in the Deep.

Palau Is a Nation of Many Islands

Palau is a country in the western Pacific Ocean. It is made up of many islands. Indonesia, the Philippines, and Micronesia border Palau. A single barrier reef surrounds the islands. Most of the people live on four main islands.

All but six of the islands are in a huge lagoon. A steel bridge links the

340

Number of islands that make up Palau.

- Palau is an archipelago in the western Pacific Ocean.
- The colorful islands are made from volcanoes or corals.
- The islands feature a variety of marine life.
- Tourists visit World War II artifacts and ancient sites.

Palau islands have eight different types of tropical forests.

Following the sun, the jellyfish move from one side of the lake to the other.

biggest island with three smaller islands. Bright green plants cover the ground. The lagoon water is clear turquoise. The beaches are white sand. Nearby are over 300 "rock islands" made of colorful coral reefs.

Snorkelers and scuba divers in the lagoon can see whale sharks, manta rays, and large schools of fish. Jellyfish Lake is filled with golden and moon jellyfish. Visitors can swim in the lake and get a closeup look. Sea cows, an endangered species, live in Palau. Saltwater crocodiles and dolphins live in the lagoon. More than 168 species of birds can be found in the area.

History buffs can find many signs of the past in Palau. Hikers can see ancient stone paths, old villages, hillside terraces, and waterfalls. There are also the ruins of World War II planes, tanks, and cannons.

JELLYFISH LAKE

Jellyfish Lake has been closed off from the sea for a thousand years. Over time, the jellyfish lost their sting because they had no predators. Since the jellyfish are harmless, visitors can swim up close to see them.

4

Belize Barrier Reef Shelters Endangered Species

The Belize Barrier Reef is a system of corals in the Caribbean Sea. It runs along the east coast of Belize. Belize is in Central America. The reef runs from Cancun in Yucatan, along the entire coast of Belize, and down to the coast of Guatemala. It stretches over 180 miles (290 km) and covers about 370 square miles (960 square km). This makes it the world's second-largest coral reef system.

Over 100 species of coral inhabit the reef.

UNESCO named the reef a World Heritage Site in 1996. UNESCO is the United Nations Educational, Scientific and Cultural Organization. It picks places in nature that show how land and life forms evolve over time. Visitors to the reef can see atolls, sand cays, mangrove forests, coastal lagoons, and estuaries. The reef is a haven for endangered species.

The protection of the reef provides one of the best places in the world for sea kayaking.

The Belize Barrier Reef is a colorful place for divers, snorkelers, and kayakers to explore. They can find sea turtles, manatees, crocodiles, and dolphins. Sea grass beds protect barnacles, conches, crabs, seahorses, and starfish. On the cays are pelicans, ospreys, terns, and rare red-footed booby birds.

424
Number of land and sea plants found in the Belize Barrier Reef.

- The Belize Barrier Reef is the second-largest coral reef system on Earth.
- The reef was chosen as a UNESCO World Heritage site in 1996.
- The area is home to a variety of plant and animal life.

THINK ABOUT IT

UNESCO chooses sites for the World Heritage List that should be protected and preserved. What people or actions might be harmful to the Belize Barrier Reef?

5

Deep Sea Vents Form Where Water Meets Magma

In 1977, scientists exploring the ocean near the Galápagos Islands discovered deep sea vents. They were surprised to find warm waters coming up from the freezing deeps. They sent equipment down to explore. They found jets of gray fluid shooting up from the ocean floor. They also found that life forms were living in the vents. Since that time, hydrothermal vents have been found all over the ocean.

Hydrothermal describes water that's been heated inside the earth. Cold seawater can flow into the earth's mantle. This happens where the plates that float on Earth's hot rock layer meet. Cold seawater trickles down to the layer of hot magma. It heats up. Minerals mix with the water. The mixture rises and

Some vents are known as black smokers because they are made from iron sulfide, which is black.

Hydrothermal vents, like this one, can reach up to three feet (1 m) across.

shoots out on the ocean floor. It is like a geyser. The seawater cools the mixture. Some of the minerals harden into chimneys.

Scientists were surprised to find life forms near these vents. They found dozens of organisms they had never seen before. They learned that bacteria use the minerals in the water as food.

Before 1977, scientists thought that life forms needed sunlight. Now they know that even in cold, dark seawater, tiny animals can live by turning minerals into energy.

750
Temperature in degrees Fahrenheit (399°C) of water from vents.

- Deep sea vents are like geysers on the ocean floor.
- Vents form when water heated by magma rises.
- Dozens of life forms live near deep sea vents.

PHOTOSYNTHESIS AND CHEMOSYNTHESIS

On Earth's surface, plants turn sunlight into energy with photosynthesis. This is the process where green plants use sunlight to make food from water and carbon dioxide. Life forms on the ocean floor turn minerals into energy with chemosynthesis. This occurs when bacteria in darkness use energy from reactions in chemicals such as sulfur to make food.

Northern Red Sea Is Home to Colorful Fish

The Northern Red Sea is a strip of tropical sea between Egypt and Saudi Arabia. It is connected to the Mediterranean Sea by the Suez Canal. It is the passageway for people traveling by sea between Europe and Asia. Its waters are some of the hottest and saltiest in the world. It is usually turquoise blue. When large groups of algae blooms die, they turn the sea a reddish-brown color.

Ten percent of the fish found in the Northern Red Sea can't be found anywhere else.

Storms, reefs, and underwater islands caused most of the shipwrecks.

The earth's crust is made up of huge plates. These plates move slowly on a hot melted rock layer. Millions of years ago, the crust split into pieces. The Northern Red Sea formed along one of these splits. The crust on the east became Asia. The crust on the west became Africa. Earth's crust is always moving. Scientists say the Northern Red Sea is still forming. One day in the far-off future, it may become an ocean.

Divers and snorkelers come to the Northern Red Sea from all over the world. They can see over 1,000 different species of colorful fish. There are 150 species of coral. Visitors will find many birds above the water and on land. The waters are calm and warm for much of the year.

People also come to the Northern Red Sea for wreck diving. There are more than 100 known shipwrecks in the Red Sea.

20 million
Years since the Northern Red Sea began forming.

- The Northern Red Sea is a strip of sea between Asia and Africa.
- It was formed when the earth's crust split.
- The Northern Red Sea is known for its colorful marine life.

Sand Falls Is an Underwater Cascade

Sand Falls is in the bay of Cabo San Lucas, Mexico. It is like a waterfall, but it's made of falling sand. French diver Jacques Cousteau made Sand Falls famous. He created a television series about ocean life. During one of his dives in Cabo San Lucas, he filmed the Sand Falls. People watching his television show got to experience a dive into the falls.

Sand Falls slides down the edge of a deep underwater canyon. Friction between the plates of the earth's crust formed the falls. First, sand collects on the slope. When enough sand piles up, it gets heavy. It slides down like a waterfall.

Millions of people saw Sand Falls on Jacques Cousteau's TV show.

To see the start of Sand Falls, divers must go to a depth

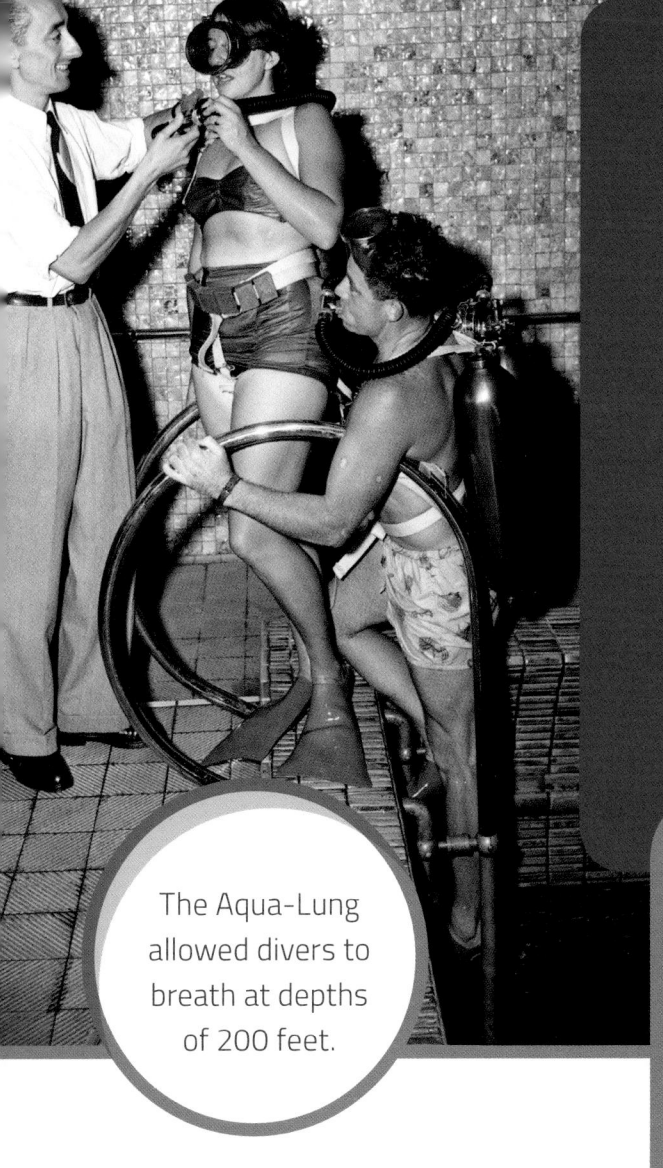

JACQUES COUSTEAU'S AQUA-LUNG

Jacques Cousteau was a French naval officer and ocean explorer. He lived from 1910 to 1997. He loved exploring life in the ocean. Cousteau invented the Aqua-Lung. This is a device that lets divers breath underwater. Before the Aqua-Lung, divers were not able to safely remain underwater for very long. Cousteau's device made it easier for scientists and ocean lovers to study life beneath the sea.

The Aqua-Lung allowed divers to breath at depths of 200 feet.

of 90 feet (27 m). During the dive, they can see over 300 species of marine life. Octopus, barracuda, rays, and large fish swim among the black coral.

6,562
Distance in feet (2,000 m) that sand falls to the canyon floor.

- Sand Falls is an underwater cascade of sand in Cabo San Lucas, Mexico.
- Sand Falls was formed by friction between plates of the earth's crust.
- Amazing marine life live in the underwater canyon.

8

Cocos Island Is Protected from People

Cocos Island is a rectangular-shaped island in the eastern Pacific Ocean. It is known for its lush green plants and many lizards, birds, and insects. It is 342 miles (550 km) off the coast of Costa Rica. The island is the tip of an undersea volcano. It was discovered in the 1500s. Pirates used to stop there during their travels. It is the island shown in the movie *Jurassic Park*. The government of Costa Rica made Cocos Island a marine national park in 1978.

The island is a special place because so few people have been there. Park rangers work to keep it that way. Only a few park rangers stay on Cocos Island. No one else can live or stay there. The Costa Rican government wants to keep

The boat trip from the mainland takes about 36 hours.

Whale sharks migrate through the area every spring. Their gentle nature is a treat for divers.

the plants and animals there safe and healthy. Visitors to Cocos Island travel from Costa Rica on ships. They can dive from the ships into the water around the island. But they can't stay on the island. They sleep and eat on the ships.

Visitors who travel to Cocos Island see all kinds of sea animals. There are 20 different sites for divers around the island. Divers find tuna, sharks, whales, orcas, sea lions, and turtles. There are hammerhead, Galápagos, tiger, silky, blacktip, silvertip, and whitetip sharks. There are many species of colorful fish.

200 million

Value in US dollars of the Treasure of Lima, believed to be buried on Cocos Island.

- Cocos Island is in the Eastern Pacific Ocean.
- People are not allowed to live on the island.
- Beautiful plants and animals live on and around the island.

THINK ABOUT IT

Why do governments protect areas like Cocos Islands by naming them national parks? How would Cocos Island change if the Costa Rican government let people build homes and shops there?

Dean's Blue Hole Is a Sinkhole in the Sea

Dean's Blue Hole is a huge underwater cave in the Bahamas. It is nearly 700 feet (213 m) deep. It has a round opening at the top. The opening is 60 feet (18 m) across. The base of the hole is 330 feet (100 m) across. Adventurous divers like to free dive into the hole.

Blue holes are also called sinkholes. They form over many years. They start as giant rocks underwater. The rocks are often made of limestone. If the inside dissolves, it makes a cave. If the roof dissolves, it makes a sinkhole. From the sky above the ocean, it looks like a bright blue hole in the sea.

A platform in the middle is the starting point for free divers.

FREE DIVING

When divers swim deep underwater without any gear to help them breathe, it's called free diving. Free diving in blue holes can be dangerous. It's hard for most people to hold their breath for more than 40 seconds. Healthy divers who practice can hold their breath for longer. But water pressure increases as divers go down. This squeezes their lungs. This can cause divers to pass out.

360
Depth in feet (110 m) of most other known blue holes.

- Dean's Blue Hole is a sinkhole in the Bahamas.
- Sinkholes form when rock dissolves and forms underwater caves.
- Many sea animals live in the Blue Hole.
- Dean's Hole was believed to be Earth's deepest blue hole until 2016.

Divers who explore Dean's Blue Hole see turtles, barracudas, snappers, jacks, tarpons, and tiny seahorses. Snorkelers can see as far as 100 feet (30 m). Visitors say it's like a huge swimming pool filled with amazing sea animals.

William Trubridge holds the world record for free diving. In 2016, he held his breath for four minutes and 24 seconds to dive 400 feet (122 m) into Dean's Blue Hole.

Dean's Blue Hole was once thought to be the deepest in the world. In 2016, scientists measured Dragon Hole in the South China Sea. It is 987 feet (301 m) deep.

10

Underwater Waterfall Is an Optical Illusion

Mauritius is an island off the coast of Africa. It is in the Indian Ocean. Visitors come to see the beauty of the island. Colorful sand formations make hilltops purple, red, and violet. There are palm trees, historic buildings, and lakes with rare water plants. In the water off the shore is a strange sight. It looks like a waterfall rushing down the sides of a canyon into the deep sea.

Visitors might think that if a boat sailed to the edge, it would drop straight down a great distance. From the sky above, it's easy to believe there is a giant open canyon in the ocean. But the underwater waterfall is an optical

Tourists can take a helicopter ride for the best views.

Sand dunes on the island called the Seven Colored Earths were formed by volcanic activity.

illusion. It is a trick that your eyes play on you.

The island of Mauritius formed from a volcano on the ocean floor. Now it sits on an ocean shelf. The shelf is much higher than the ocean floor. Past the edge of the shelf there is a steep drop-off. It is an underwater cliff that drops down to the ocean floor. From above the ocean, it looks like water is falling down the sides of the cliff. But it is really sand falling. Currents in the water carry the sand off the island. Then it falls down the cliff.

2.5
Depth in miles (4 km) of underwater cliff near Mauritius.

- Mauritius is a lush island off the coast of Africa.
- An optical illusion makes it look like there is a huge waterfall in the ocean.
- Ocean currents move sand from the beach down a steep underwater cliff.

THINK ABOUT IT
How did the invention of aircraft help people learn more about the ocean? What other new technology and equipment have helped oceanographers and other scientists study the sea?

11

Zhemchug Canyon Is Full of Life

Zhemchug Canyon is in the Bering Sea. It is between Alaska and Russia. It is one of the biggest and deepest underwater canyons in the world. The Grand Canyon could fit inside with room to spare. Zhemchug is so big that it can't all be seen from the surface of the ocean. Photographers must travel up into space to capture all of it. It is like a huge crater on the ocean floor.

Scientists think that the canyon formed over ten billion years. Storms or earthquakes may have caused

The Zhemchug Canyon is one of five canyons on the Bering Sea floor.

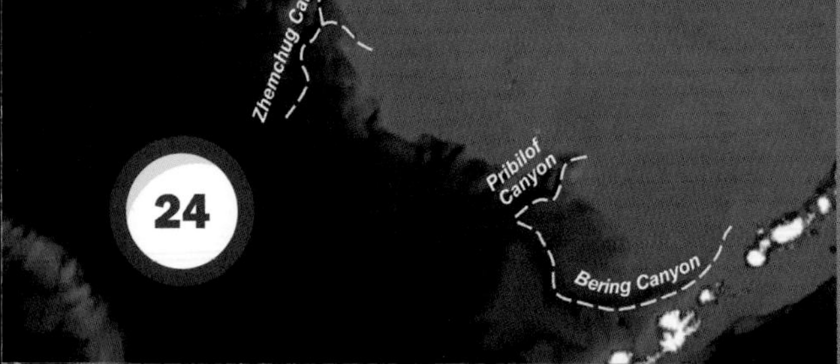

Navarin Canyon

Pervenets Canyon

Zhemchug Canyon

Pribilof Canyon

Bering Canyon

8,530
Depth in feet (2,600 m) of the Zhemchug Canyon.

- Zhemchug is a huge submarine canyon.
- Storms or earthquakes probably caused the canyon to form.
- A wealth of marine life lives in the canyon.

Michelle Ridgway completed 25 dives into the canyon.

the ocean floor to shift. Landslides pushed by ocean currents may have slowly carved out the giant canyon. The vast base of Zhemchug Canyon is very flat. The canyon has two branches. It is shaped like a T.

Visitors to the Zhemchug Canyon find beautiful sea life. Albatross, fur seals, dolphins, whales, corals, sponges, and crabs live in Zhemchug. The sides of the canyon do not slope much. This makes a safe place for sea life. Bubblegum and bamboo corals, soft corals, and sponges thrive.

MICHELLE RIDGWAY

Alaskan ocean researcher Michelle Ridgway visited Zhemchug Canyon in an eight-foot submarine in 2007. The expedition was sponsored by Greenpeace, an agency that works to protect nature. Ridgway went down about 1,700 feet (518 m). This was one-fifth of the depth of the canyon. She was surprised to see so many kinds of sponges, corals, and plankton living so deep under the ocean.

Orcas Flock to Northwest Norway

Orcas are very sociable. They live in groups called pods.

Hundreds of orcas come to the northwest coast of Norway in winter. Visitors can follow the huge whales in boats. They can photograph the whales jumping from the sea. They can even dive in and swim near the whales. The water is very cold but not freezing. Divers wear special suits for the cold. In the evening, guests can watch the beautiful Northern Lights. The night sky lights up with a rainbow of colors.

Herring are silver fish that move in groups called schools. Over a billion herring come to the coast of Norway in winter. Orcas come to eat the herring. The whales travel in groups called pods. Visitors have seen as many as 60 orcas in a pod. The orcas come 5,000 miles (8,047 km) across the Atlantic Ocean to feed on herring. The whales work together to catch their prey. They form a circle around a school of herring. The fish swim inward to escape. The orcas slap their tails to make the water move. The fish are stunned. This makes it easier for the orcas to catch and eat them. After the winter feeding season, the orcas return to the Caribbean.

The whales can weigh as much as six tons (5,443 kg). They have no natural predators.

The orcas' technique of circling the herring is called carousel feeding.

32
Length in feet (9.8 m) of largest orca found as of 2014.

- Orca whales gather near Norway's coast in winter.
- The whales feed on herring.
- Visitors can see many whales up close.

But orcas prey on many animals. They eat fish, sea birds, seals, sharks, and even other whales. They can grow to be as long as a school bus. Their teeth can grow to be four inches (10 cm) long.

Where in the World?

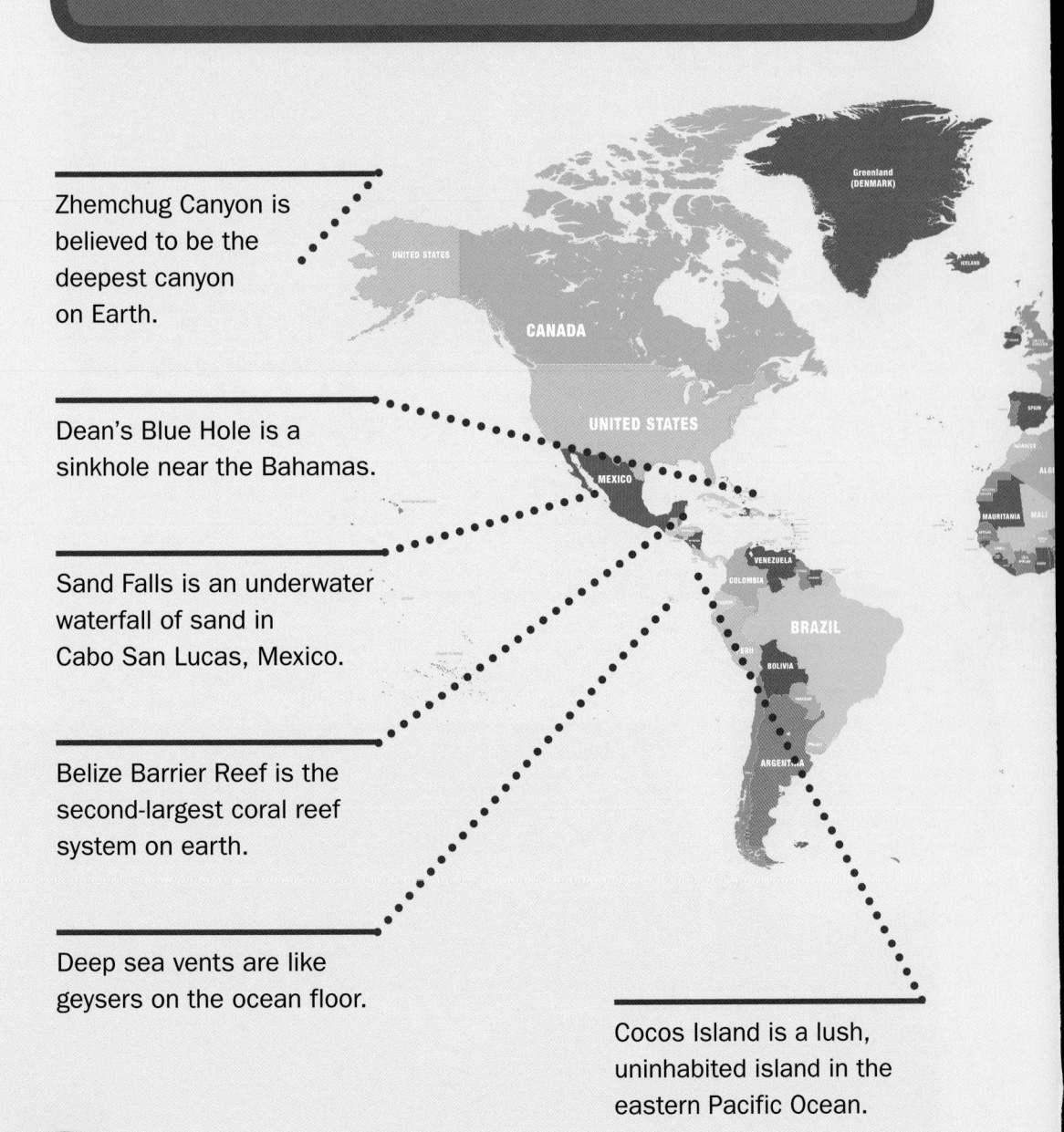

Zhemchug Canyon is believed to be the deepest canyon on Earth.

Dean's Blue Hole is a sinkhole near the Bahamas.

Sand Falls is an underwater waterfall of sand in Cabo San Lucas, Mexico.

Belize Barrier Reef is the second-largest coral reef system on earth.

Deep sea vents are like geysers on the ocean floor.

Cocos Island is a lush, uninhabited island in the eastern Pacific Ocean.

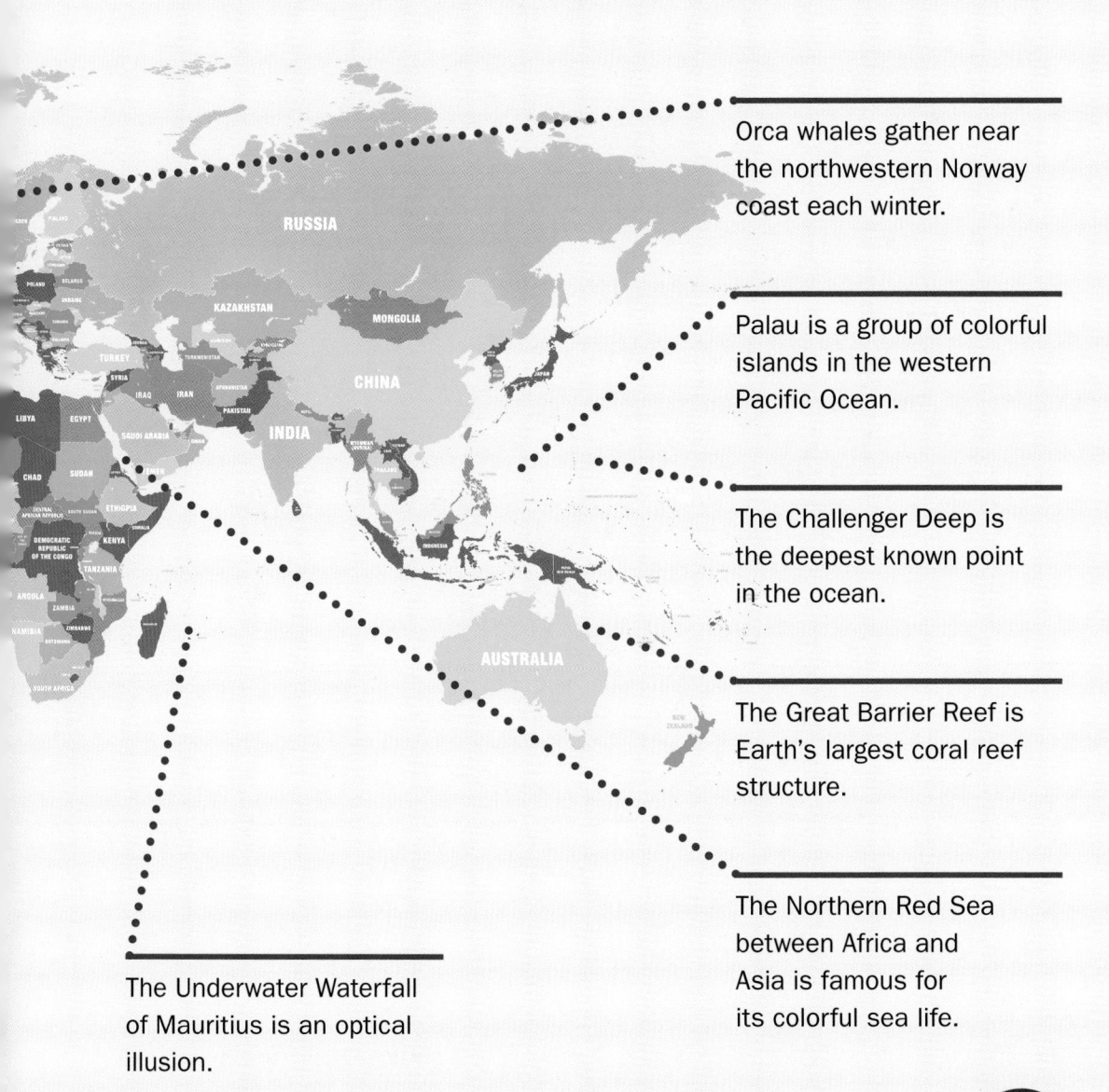

Orca whales gather near the northwestern Norway coast each winter.

Palau is a group of colorful islands in the western Pacific Ocean.

The Challenger Deep is the deepest known point in the ocean.

The Great Barrier Reef is Earth's largest coral reef structure.

The Northern Red Sea between Africa and Asia is famous for its colorful sea life.

The Underwater Waterfall of Mauritius is an optical illusion.

Glossary

archipelago
A group of islands.

atoll
One or more islands formed of coral.

endangered
To be threatened with extinction.

friction
The rubbing of one thing against another.

lagoon
A pond connected to a larger body of water.

limestone
Rock formed from shells or coral remains.

magma
Hot rock inside the earth.

mantle
The earth's mantle is the layer between the crust and the core.

scuba
An abbreviation for self-contained underwater breathing apparatus.

sinkhole
A hollow place where water pools.

snorkel
To swim underwater using a tube for breathing.

vent
An opening where gas or liquid that is under pressure escapes.

For More Information

Books

Macquitty, Miranda. *Ocean*. A DK Eyewitness title. New York: DK Publishing, 2014.

Medina, Nico. *Who Was Jacques Cousteau?* New York: Penguin, 2015.

Woodward, John. *Ocean: A Visual Encyclopedia*. A DK Smithsonian title. New York: DK Publishing, 2015.

Visit 12StoryLibrary.com

Scan the code or use your school's login at **12StoryLibrary.com** for recent updates about this topic and a full digital version of this book. Enjoy free access to:

- Digital ebook
- Breaking news updates
- Live content feeds
- Videos, interactive maps, and graphics
- Additional web resources

Note to educators: Visit 12StoryLibrary.com/register to sign up for free premium website access. Enjoy live content plus a full digital version of every 12-Story Library book you own for every student at your school.

Index

About the Author

Marne Ventura writes both nonfiction and fiction books for kids. Her favorite topics are science, technology, biographies, arts and crafts, nutrition and cooking. Marne holds a Master's Degree in Education from the University of California.